有斐閣新書

デカルト方法序説入門

井上庄七・森田良紀 編

はしがき

デカルトは一七世紀前半のフランスに出て、西洋近世の哲学のスタイルを定めた思想家であり、十分な意味で「近世哲学の父」と呼ぶことができる。デカルトの一生の仕事を全体として見渡してみると、一方で無限にひろがる自然の世界を客観的に認識しようとするとともに、他方では人間的善を主体的に追求するという、近世思想全体に通ずる状況が、はっきり打ち出されているといえる。『方法序説』はそのデカルトの学問的自伝ともいうべきもので、どのようにして自分の考えを築いていったかを、飾り気のない文章で淡々とのべてあり、なによりもまずこの点が、われわれに親しみを感じさせるところであろう。

しかしそのために反面では、ややもすると『方法序説』は、初学者にもくみしやすいと見られがちであって、軽々に読みすごされる場合が多い。けれども古典というものは、こちらの心がまえしだいで、浅くも深くも読めるのであり、『方法序説』についてもそのことはあてはまる。デカルト自身もある手紙のなかで、『方法序説』は婦女子にもなにがしかは理解できるであろうが、そこにはまた、もっとも明敏な人びとでさえ十分な注意を払わねばならないような問題も見いだされるであろう、といっている。

この入門書を編むにあたっては、上のような点に留意して、われわれ自身のとっているデカルトの読み方を正直に伝え、読者の参考に供するよう心がけた。編者は二人とも、今から三〇年近く前、京都大学で野田又夫先生にデカルトを読んでもらって以来、ずっと野田先生のデカルト解釈に教えられてきたので、この本にもその影響がつよく出ていると思う。また執筆に際しては山田弘明、小林道夫両君の協力を求めることにしたが、両君はやはり京都大学で野田先生の教えをうけたのち、フランスに留学してジュヌヴィエーヴ・ロディス・レヴィス教授のもとでデカルト研究に携わったという経歴の持ち主である。そういうわけで、各章の扱い方はそれぞれの筆者の自由な裁量にゆだねたが、デカルトに対する見方そのものは全編を通じて一貫しているはずだ、という安心感がもてる。そしてついでにいえば、野田先生とレヴィス教授とは、互いに独立に仕事を進めてこられたにもかかわらず、お二人のデカルト解釈はふしぎなほど一致しているのである。偏見なしにデカルトと取り組めばおのずから同じ解釈に至りうることを知らされたわけで、思想史に携わる者にとってこれほど心強いことはない。

しかしすでにいったように、『方法序説』の大切な点は、デカルトの思想のできあがった形よりも、それの形づくられゆくさまをうかがいうるという点にある。この入門書でわれわれが、デカルトのあえてふれようとはしなかった伝記的事実を、多く取りあげることにしたのもそのためである。この本がきっかけとなって、デカルトの人となりに興味を覚え、『方法序説』そのものをじかに読んでみよう、読みなおしてみよう、という気をおこしてもらえるなら、われわれの望みは叶えられるのである。

本文中、『方法序説』からの引用は、野田又夫教授の訳を使わせていただいた。あつく御礼申し上げる。デカルトの伝記に関しては、アドリアン・バイエの『デカルトどのの生涯』（一六九一年）と、シャルル・アダンの『デカルトの生涯と作品』（シャルル・アダンとポール・タンヌリの編んだ『デカルト全集』の第一二巻にあたる）に多くを負うている。

最後に、終始ゆきとどいたお世話をうけた有斐閣の澤井洋紀氏に御礼申しあげる。

一九七八年一二月

編者　井上庄七
森田良紀

目　次

＊ 編者紹介

井上 庄七（いのうえ しょうしち）

1924年生まれ，1947年京都大学卒業。

現在，神戸大学文学部教授。

〈主論文〉「理性の体系㈡――スピノザ，マルブランシュ，ライプニッツ」（『岩波講座哲学』17，1969），「世界像の変遷」（『岩波講座世界歴史』16，1970）。

森田 良紀（もりた よしのり）

1923年生まれ，1950年京都大学卒業。

現在，学習院大学文学部教授。

〈主論文〉「霊魂の不死について」（『九州大学文学部40周年記念論文集』1966），「時間」（『九州大学文学部哲学年報』28輯，1969），「力の諸問題――ガリレイとベーコンの場合」（『九州大学哲学論文集』7輯，1971）。

＊ 執筆者紹介

山田 弘明（やまだ ひろあき）

1945年生まれ，1968年京都大学卒業。

現在，名古屋大学文学部助教授。

小林 道夫（こばやし みちお）

1945年生まれ，1969年京都大学卒業。

現在，コレージュ・ド・フランス助手。

序章 『方法序説』について

デカルトの肖像（フランス・ハルス画，ルーブル美術館蔵）

▼『方法序説』とアウグスチヌス『告白』

『方法序説』はとくべつに難解な古典ではない。むしろそれは読みやすい古典であるから、この本の読者のなかにはこれからこの古典を読もうとする人ばかりでなく、すでに読んでいる人、なかにはかなり読みなれている人もいるであろう。私自身この書物をひとりで繰り返し読んだばかりでなく、いくどとなく教室のなかで学生たちと一緒になって読んでいる。しかしこの書物の特徴あるいは本質をこの文章を書く機会にあらためて考えてみようとすると、私はまったく思いがけないことに気がつく。というのは手近な手掛りとして西洋哲学の古典のなかから『序説』との比較のため類似の性格をもった書物を探しだそうとすると、これといった書物が急に思いつかないという事実である。

もっとも書物全体の構想や意図という点からすると、一応はアウグスチヌスの『告白』がいちばん『序説』と類似の性格をもつといえるであろう。というのは両書はともに告白体の文章で書かれ、著者自身の思想形成の歩みについて述べた一種の思想的自叙伝だからである。以上の類似点の指摘や比較はなにもここでの私自身の新しい発見ではない。すでに一七世紀のデカルトの同時代人達がいろいろとデカルトとアウグスチヌスの関連について述べている。二人の思想家はさまざまな点において内面的・思想的なつながりがあるのである。

しかし、その点を頭に入れたうえで、これら書物を手にとって少し読みくらべてみるならば、今度は逆に両者の違いについてわれわれは強い印象を受けとることになる。

第一に、手近で具体的な事柄であるが、両者の分量が違う。『告白』を一日のうちに読破することはまずもって無謀であり、また、無意味でもあるだろう。『告白』は大まかに見て『序説』の分量の七倍から八倍はある。しかし『告白』と違って、『序説』を一日のうちにひと息に読破することは不可能でもなければけっして無意味でもないであろう。デカルト自身、この書物はそれまでの自己の生涯を「一枚の画」中におさめるようにえがいた、という。また、一気に読み通すにはこの書物は長すぎるという読者がいるであろうから、一応かりにこの書物を六部に分かっておいた、ともいう。したがって、たとえひと息に読まないまでも、ふたつか三つに区切ってこの本を読むことはかえってデカルトの意図にそった読み方であり、よくこの本になじんだ人ならばこの古典の生命と内面のいぶきをつかむのにかえってよい読書法であろう。

第二に、より内面的な違いであるが、同じく強い印象でもって見わけることのできる両書の違いは、両思想家の文体の違いである。アウグスチヌスの『告白』は神の前に自己の内面――自己の内面の思索の歩みや「意識の深淵」に潜む葛藤――を告白するものであり、その告白はときとしては神への祈りとなり、その文体は宗教的高揚をおびた美しさを示す。だがデカルトの文体は違う。よくある人びとはデカルトの文体は透明だと批評する。しかし、どのような意味で透明であって、なにがどう透明であるかは、一口にここで説明することはむつかしい。むしろここではこのような全体の感じについてあれこれ議論することはやめ、『序説』の叙述自体にたち戻って、いわば『序説』の内側から、その本質的特徴と考えられるものをいくつか取り出してみることにしよう。

〝私〟の文体

第一に、すでに述べたことだが『序説』の全体は告白体の文体で書かれている。したがって、当然そこでの文章の主語は、複数形の〝われわれ〟や三人称形でなく、つねに一人称単数形の〝私〟である。念を押すまでもなくこれは自明のことである。しかしながら、なぜデカルトはこのような文体と『序説』全体の構想を選択したのだろうか。このように反問するならば、この問いはもっとも深い事柄の本質にふれる問題になるであろう。その証拠に、『序説』とならびデカルトの著作中もっとも主要な著作のひとつである『省察』もまた、一人称単数形の〝私は思う〟の文体で書かれている。つまりこの〝私〟の文体はたんなる修辞上の工夫などでなく、デカルトの思索のあり方の最深奥の本質にふれる問題を含む証拠だと考えうるであろう。たとえば、だれもが知っているデカルト哲学の根本原理コキド・エルゴ・スムは「私は思う、ゆえに私はある」であって、けっして「われわれは思う……」でも「人は思う……」でもない、したがって、上述の文体の問題はたんなる文体をこえた根本の問題にふれているといえるであろう。その事実をここで指摘しておきたい。その立ち入った議論は本文のなかで取り上げられるであろう。

フランス語で書かれた『序説』

第二の『序説』の特徴は、『序説』の文章はフランス語で書かれているということである。わが国の明治以前の学者や知識人達が純粋な日本語である大和ことばで文章を書くことなく漢文で文章を書いたように、一七世紀までのフランスの知識人達はフランス語でなくラテン語で著作をした。しかし、ここでの『序説』の文章はラテン語でなくデカルトの母国の一般人のことばであるフランス語で書かれている。それは、先に述べた『省察』が学者達を読者として予想しラテン語で書かれたのにたいし、『序説』は良識ある一般の人びとを読者として予想している事実を物語っている。

ところで、一般の人びとを『序説』の読者としてデカルトがえらんだというこの事実は、よく考えてみると、デカルトがわれわれ人間の理性あるいは判断力の本質をどのように考えていたかということにかかわってくる。デカルトはいう。「生まれつきの理性のみを用いる人々のほうが」なまなかな学者達よりも私の議論を誤りなく正しく判断してくれるであろうし、また、哲学にはじめて接するところの「婦人達でさえもこの本からなにものかを理解することができるであろう」、と。したがって『序説』では専門の学者達でなければ理解できない術語はほとんど一切用いられず、ただ日常の言語だけが使用されており、故事来歴を知らなければわからない譬えや引用文はまったく用いられていない。

『序説』のこのような性格は、同じくフランス語で書かれ、デカルトの先人であるとともにデカルトの文章にも影響を与えた、モンテーニュの『エッセー』とこの『序説』とを読みくらべてみるならばすぐにわかる。というのは、『エッセー』のほとんど全頁が多くの古人の名と豊富な古典からの引用文で埋められているのにたいして、デカルトの文章はそのようなことがなく、あまりにも淡泊、平明であって、そのことにあらためてわれわれは一種の驚きを感じるほどだからである。たとえば、『序説』のなかで古人の名前が挙げられるのは第二部でのルルスと第六部でのアリストテレスのただの二例だけにすぎない。このようにすこしも衒学臭が感じられないデカルトの文章の平明さをある人びとが「透明だ」と表現したとしてもそれはもっともといえよう。

▼透明さと暗さ

しかし、ここでよく注意しなければならないことは、一見意外で逆説的に思われる事実であるが、この透明さ自身がある意味で一種の暗さを含むということである。まず、ごく一般的ないい方をすると、われわれ読者の目は、一見したところ透明でわかりやすいこのデカルトの文章の表面をうわすべりに流れてしまい、そこに書かれている問題の真の意味をつい読みすごしてしまいかねない。その意味でデカルトの文の透明さはわれわれにとって一種の暗さとなるのである。さらに一層事柄を掘り下げたいい方をすると、この透明さ自体がそっくりそのまま一種の暗さだともいえる。というのは、デカルトの問題を自分自身の課題としてわれわれが自力で徹底して思索しようとすると、問題を分析するデカルトの大胆でかつ論理的思考の密度の高い文章のもつ透明さが、かえってわれわれの思索にとりいわば一種透過し難い暗さになるのが感じられるからである。このように一目みたところきわめて平易なデカルトの文章は、デカルトの思索に力づくで挑もうとするならばたちまち強じんな抵抗に化するのであって、そのような経験はデカルトの問題に真剣に取り組む人ならばだれもが一度はかならず経験することであろう。

実例をひとつ挙げておこう。デカルトの哲学にいくらかでも初歩的知識をもっている人ならば、外的自然の本質は「延長」である、いいかえると、その本質は幾何学的空間である、とするデカルト説を知っているであろう。この学説はわれわれのあいだでは一種の教科書風な知識になっているといえる。しかしながら、われわれはこの教科書風な知識に満足せず、もう一歩ふみ込んで、事柄に即しすこしでもデカルトの思索の本質に迫るべくここで試みてみることにしよう。『世界論』のなかでデカルトはきわめて独自な宇宙生成論を展開し、彼は、そのなかで、自然の原初的で発生的な状態にある物質、すなわち、いわば発生的状態にある「延長」自体を混沌《カオス》と名づけている。この原初的状態の物質は、幾何学者の対象、すなわち、幾何学者がそこから透明な認識を得る三次元の空間以外のなにものでもなく、そのほかの何物も一切そのうちに含んでいない。したがって、だれもが認めることであるが、もし幾何学的認識がもっとも透明な認識であるとするならば、幾何学的空間そのもののこの混沌は、われわれにとって、考えうるかぎりもっとも単純であり、認識するのにもっとも容易なものでなければならない。すなわち、この混沌は「知らないふりをすることができないほどに」透明なのである。この透明さ自体を混沌とデカルトが呼ぶことにたいし確かにわれわれは抵抗と逆説を感じる。しかし、以上の学説をただのことばの上の逆説などと考えないで、われわれが事柄自身に即し自力でものごとをつきつめ徹底して考えてみようと試みるならば、圧縮した密度の高い文章で述べているこのデカルトの学説のなかに、現代物理学の最尖端の問題に触れる示唆や思想が多々含まれていることにわれわれは気づくであろう。

デカルトにおける透明さ、いいかえると明晰判明というものは問題が落着してすでに解決ずみであることなどを意味してはいない。「もっとも鋭敏な知性の人でさえそこに注意をむけるべきじゅうぶんな問題を見いだすであろう」。一口にいって、これがデカルトにおける透明さなのである。

▼デカルトの比喩の魅力

第三に指摘されねばならぬ特徴は、『序説』においては多くの比喩が用いられているという、事実である。デカルトの比喩はどの著作のどこにおいても新鮮であって具象的でかつ生々としている。しかも『序説』ではそのような比喩がとくに多く用いられている。しかもそこでの比喩は、いずれも示すべき問題の本質を見事に結晶させているという点できわめて印象的である。

しかし、だからといって、これらの比喩がすぐにわれわれの関心をひくわけではない。これらの譬えはむしろ華やかでなくて地味なのである。いいかえると、これらの比喩はきわめて自然であるだけにそれだけ地味であって、われわれの眼はそれを読みすごし、かたわらを通り過ぎてしまいかねない。言葉のあやや機知のひらめき、あるいは、故事来歴の面白さだけで楽しませてくれる比喩は、モンテーニュとの対比ですでにふれたように、デカルトの比喩ではない。機知だけの比喩は述べる事柄の本質を蔽いかくすにすぎないのであるが、むしろデカルトの比喩は、一切の修辞上の衣裳をはぎとってしまい、素朴でごく身近な事例のみを取り上げる。このような事例によって、デカルトの比喩はわれわれの眼から蔽いかくされている深い問題をかえって生々と具象化してみせるのである。このデカルトの比喩の魅力に一度気がつくならば、その魅力はわれわれの心をとらえてはなさなくなるであろう。比喩の輝きがただのガラスの輝きであるか、それとも真のダイヤモンドの輝きであるか、それを識別するのは、むしろわれわれがよき判断力をもつかどうかの問題なのである。

伝記としての『序説』

つぎに、『序説』が書かれた一六三七年までのデカルトの生活の伝記について述べておきたい。一七世紀同時代人の伝記記者バイエが書いた『デカルト殿の生涯』は、他の書物ではみられない貴重な直接的資料がいくつも収録されている。しかし、他面では、とうてい信じることができないような話、あるいはそのまま信頼してよいものかどうか疑わしい話も多く含まれている。では、デカルトの生涯の伝記にとってもっとも信頼のおける資料とはなんであろうか。『方法序説』がそれである。というのは、はじめに述べたように『序説』はデカルトがみずから書いた思想的自叙伝だからである。それゆえ、『序説』が書かれたデカルトの四〇歳代に至るまでの出来事は本書の各章のそれぞれしかるべき箇所で述べることにして、この序章においてはとくべつ伝記について述べないことにする。しかし『序説』の叙述では――他のどの自叙伝（たとえば上述のアウグスチヌスの『告白』など）とも区別される『序説』の本質的特徴として――一切の日付け、どこで生まれ、どの学校に入ったか等々、一切の地名および固有名詞などが書かれていないから、本書の巻末に、読者の便宜を考え、デカルトの生涯についての簡単な年譜（デカルトの死に至る『序説』以後の伝記をも含めて）を付しておくことにする。

▼『序説』のタイトル

最後に、『序説』のタイトルにかんし二、三の事柄を附随的に述べておきたい。『序説』のタイトルは、正しく書くならば『理性を正しく導き、もろもろの学問において真理を求めるための方法についての序説、およびこの方法の試論である屈折光学、気象学、幾何学』ということになる。たとえ省略しても『方法序説および三試論』とするのが本来の書き方であろう。ここで『三試論』といわれているのは、上述した学問の三分野に試みに自己の方法を適用した結果得た成果の意味である。執筆の順序からいうと、まずデカルトは三五年秋から翌年にかけて上述の『三試論』を書き、そののち、方法と方法の形成の次第についての自叙伝的物語りである『序説』を著作全体の序文に相当するものとして書いた。そのような事情を考えると、われわれは当然『序説』を『三試論』と一緒に読まなければならないというべきであろう。しかし、今日では、専門家をのぞいてそのような読み方をする者はまれで、『序説』を『三試論』から切り離し、独立の本として読むのがならわしである。

一七世紀の思想家達はみな方法について鋭い問題意識をもち方法にかんして議論した。一七世紀はそのような時代であった。たとえばホッブスがそうであったし、ベーコンもまたそうであった。とくにベーコンの『新機関』については、デカルトはある友人にあてた手紙のなかで「ベーラム殿の方法」について語りこの先人の業績に関心をよせている。この時代の人びとは方法についてこのような強い関心を向けたのであるが、しかし「方法」の語自身はまだ今日のように日常語化していず、当時の人びとにとってはある種の驚きと新鮮なひびきを与えたのではないかと思われる。したがって『方法序説』のように、方法それ自体を書物の主題としタイトルにした本は、当時としては人びとを驚かす大胆な企てであったにちがいない。

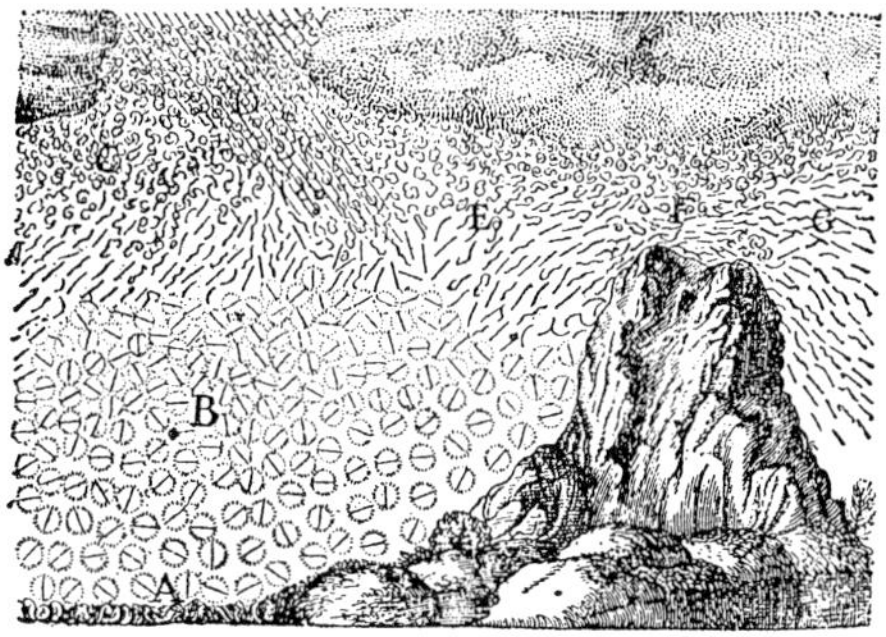

『三試論』中の『気象学』にある図

今日では、「方法」、「方法論」の語は会話のなかにも書物のなかにもいわばいたるところにあふれている。しかし「方法」の語がこのように多用され手垢がつき古びてしまったにしても「方法」という事柄自体が古びたわけでも陳腐になったわけでもないであろう。今日でもなお、哲学の方法に関心をよせる読者、物事をただしく判断することを学びたいと望む読者にとっては、やはりいぜんとして『序説』はその新鮮さを失ってはいないであろうと、思われる。

第1章　書物から世間へ

──『方法序説』第一部

幼少年時代を過ごしたシャテルローの家

1 良識について

▽良識はこの世でもっとも公平に配分されている

ボン・サンス（良識）ということばで『序説』は書きだされている。書きだしの文章はつぎのとおりである。

「良識《ボン・サンス》はこの世で最も公平に配分されているものである。というのは、だれもかれもそれを十分に与えられていると思っていて、他のすべてのことでは満足させることのはなはだむずかしい人々でさえも、良識については、自分がもっている以上を望まぬのがつねだからである。そしてこの点において、まさかすべての人が誤っているとは思われない。むしろそれは次のことを証拠だてているのである。すなわち、よく判断し、真なるものを偽なるものから分かつところの能力、これが本来良識または理性と名づけられるものだが、これはすべての人において生まれつき相等しいこと」。

この文章を読むと一見しごく当り前なことを述べているだけにすぎなくて、文の流れも平明でむしろ淡泊であるように思われる。しかし注意ぶかく読む人ならば疑問がつぎつぎにでてきて初《しょ》っぱなからこの文章は躓《つまずき》の種になるであろう。じじつそのように訴える学生が多いことを私は経験している。そのとき教師の私は〝最後まで『序説』を読んでからまたこの箇所を読みなおしてごらん〟とすすめる。しかし考えてみるとこれは教師としての窮余策で、私自身も含めてこのようにしてなんどとなく読み直してみても疑問が徹底して解けるかどうかは心もとない。というのは、この文章は異常なほど高い結晶度をもっているからである。いいかえると、デカルトは、自分自身の思想の核心を熟慮をかさねたすえ平明ではあるが密度をもった文章で述べている、と思われるからである。良識について述べたこの文章についての学者達の解釈はさまざまな意見にわかれている。それは当然であると思われる。というのは、語句について理解するのにはきわめて有益であるけれども、デカルトの思想そのものをどのように理解するかは窮極のところ各人それぞれの思索と判断の責任にゆだねられているといえるからである。したがって、デカルトがいきなり初っぱなから自分の思想の核心について述べたと思われるこの文章については、私はあまり注釈にこだわらずに私自身の考えを率直にここで述べることにしたい。

▼良識とはなにか

良識とはいったいなんであろうか。なぜ、すべての人においてそれは生まれつき相等しいのであろうか。自分自身や他人をはげますために〝頭の働きや才能などはもともと各人にそれほど違いのあるものではない。それをどう伸ばすかは各人の努力次第だ〟、という場合がある。良識とはそのようなものなのであろうか。デカルトは先に引用した文章に続く文章ではっきりそれを否定している。すばやい頭の働きとか、ひらめく機知と生き生きとして豊かな想像力とか、打てばひびくようにすぐに答えてくれる記憶力の良さとか、そのような特質を持ち合わせている人をデカルトは、「良い精神《エスプリ》」の持主と呼んでいる。ところで、このような意味に理解された精神と良識とを同一視することをデカルトははっきりと否定している。いま述べた諸特質について、われわれは、自分自身をはげましたり他人をはげましたりする場合、どこか心のなかで、それらは生まれつきであって各人にどうしようもない差異があることを、認めているのではなかろうか。デカルトは、『序説』の主題である方法が必然的に前提としなければならないこの良識の万人における相等性というものにたいし、上述の諸特質について主張される見掛けだけのあやふやな相等性と同一視することをきびしく拒否するのであるが、さらに、デカルトのつぎの文章を読むと、そこには頭の良さを誇る人びとにたいするにがい皮肉のひびきというものがこめられていることが感じられる。すなわち、このように大きな才能にめぐまれた人たちは「最も大きな徳行をなしうるとともに、〔かえってまた〕最も大きな悪行もなしうる」のであり、頭がすばやく良く働く人は、いったん途からそれるとそのような途を走る人と同じく大きく真理からはずれた誤りを犯すことにもなるのである。

▼よく判断すること

では良識は、理解力であるのだろうか。私はそうは思わない。しかし、上の引用文のなかで、デカルトは、「良識または理性」といっているのであるし、理性《レゾン》はしばしば理解の能力、認識の能力であるから、良識は悟性すなわち理解の能力悟性《アンタンドマン》と同義語的に取り扱われているのであるから、良識は悟性すなわち理解の能力であるという説が学者達の間ではかなり有力である。しかし、デカルトは人間において悟性は有限であると考えているばかりか、その働きは人びと各人の間で大きな違いがある、すなわち早く多くを認識しうる人とそうでない人とがいると考えているのであるから（『哲学の原理』エリザベト王女への献辞）、上述の「良識または理性」という文句の良識を定義するのに私は理性の語でもってすべきではなく、逆に、良識の語でもってこの理性を理解すべきであると考えたい。だとすると、ここでいわれている理性というのはたんなる認識の能力ので判断し、真なるものを偽なるものから分かつところの能力」、すなわち判断の能力ということになるであろう。デカルトは、各人において相等しいのは、自分自身で判断する力である、といっているのである。

しかし、よく注意しなければならないことは、各人が相等しい判断の能力をもつからといって、そのままその能力によって各人が真と偽とをおのずから分かつことができるわけではないということである。肝心なのは「よく判断」すること、むしろ「よく判断」すべく意志するということであろう。私は、デカルトの方法についてのもっとも中心的な思想は、目立たないためにうっかりすると素通りしてしまいがちなこの「よく判断する」といううごくみじかい一句にあると思う。

デカルトは「良識はこの世で最も公平に分配されているものである」と書きだしたそのつぎ

の文章において、才能を自負する人びとにたいし皮肉というよりは蔑視をこめた不信の念を示している。「だれもかれもそれ〔良識〕を十分に与えられていると思っていて……良識については、自分がもっている以上を望まぬのがつね」である。自己の良識に自足している点ですべての人が誤っているというのは真らしくない。しかも自足は自負と盲信にかわって、才能と頭脳に自信のある者ほど自己の判断を確信して固執するものである。『ブルマンとの対話』でこの箇所にふれてデカルトは、「頭数ほど意見がある」といっている。学者と呼ばれるものほど自己の判断を吟味することなく盲信して偏見におちいりがちなものである。デカルトは、ここでそういっているように思われる。

さきに述べたように、デカルトにおける方法の核心は、万人に公平に分配されている判断の能力、各人みずからが自分自身で下す判断の能力にある。しかし、それだけで方法が成立するわけではない。方法が成立するのは、各人が判断の能力をもつだけでなく、さらにどのように自己の判断力を導いて真を偽から分かつか、よく判断することを心得えるかにある。デカルトの方法の課題は、ひと口にいって、この「よく判断する」という「よく」についての徹底的な自己吟味にあるといえる。この意味において『序説』は「判断の書」なのである。方法は第二部において「よく判断する」ために守られねばならぬ四つの規則のかたちにまとめあげられるのであるが、それに先だち、第一部では率直な態度でしかもきわめて具体的に、どのような判断を学校で学んだ諸学のひとつひとつについて下したかを、さらにまた、その判断に基づき学校を離れるにあたってデカルトはいかなる決心をなすに至ったかを、物語ってくれている。

▼われわれはまことに誤りやすい

こうした判断からデカルトは、ひとつの教説をつくりだしたり、あるいはまた、そこから読者に与える教訓を引きだしたりするなど、そういった態度はみじんもとらない。そのことは、すこし長くなるがつぎに引用する文章を読むと、よくわかる。

「しかしながら、もしかすると、私はまちがっているのかもわからない。私が金やダイヤモンドだと思っているものが、ひょっとすると銅やガラスのかけらにすぎぬのかもしれない。自分自身に関する事がらについてはわれわれはまことに誤りやすいこと、また友だちの判断がわれわれにつごうのよいものである場合、それはまことに疑うべきであることを、私は知っている」。

このデカルトのことばを、読者にたいする謙虚なあいさつ、儀礼上の修辞的なあいさつ、としてひとは読むことも可能である。しかし、この文章を読み、さらにその上にまた冒頭に書かれているデカルトの良識についての文章を読み直すならば、ここでデカルトは、事柄上当然とはいえ、まことにきびしい要求をわれわれ読者にたいししているのではないか、ということにわれわれは思い当たるであろう。なぜなら、デカルトは、今から自分がここで述べる意見をただうのみにしてくれるな、とわれわれに要求しているからである。そして、他人の教説や意見をもしもわれわれがただうのみにするだけでないとするならば、われわれが窮極的によりどころとするものはわれわれ自身が下す自由な判断以外にはありえず、しかもこの判断にたいしてはわれわれはけっしていい逃がれをすることが許されない責任を負わねばならないからである。デカルトの方法がわれわれにとり新鮮であるのは、根本的で本質的な方法の特質がもっぱら判断に置かれていることにある。

これにたいして、在来のアリストテレスの方法においては、そのもっとも本質的な部分を推論が形成している。推論は、それについていったんその形式が決定されるならば、機械的暗記によって、あるいはむしろ機械それ自体により誤りなく遂行されうる。だが判断はそういうわけにはゆかない。判断は判断を下す者の責任によってしかなされえず、判断の誤りはただの機械的手続の責任に帰するわけには絶対にゆかないであろう。ここでデカルトは、読者にたいし、「子供ではなくして一人前の大人であるからには」読者がみずからの判断でここに書かれている事柄を自由に評価してほしい、といっているのである。

▼序説・ディスクールの意味

なぜデカルトがこの著作にたいし、方法についての『序説』というタイトルを与えたのかがそこからしてよくわかる。『序説』というのは、先に述べたように、『三試論』をも含む著作全体の一般的序文として書かれたのである。しかし、『序説』という語はそれとは別のもうひとつの意味をもっている。その意味をデカルトは書簡やここでの『序説』のなかで以下のように述べている。『序説《ディスクール》』というのは、方法についての学説を述べるといった堅苦しい「論」という意味ではなく、「はなし《レシ》」、あるいは方法形成のいきさつを自叙伝風にかくし立てなく率直に述べた「物語《イストワール》」の意味である。「またお望みなら一つの寓話《ファーブル》として」お読みいただきたい、ともデカルトはいう。このことばは親しみのある気持の大きいことばであるが、しかしさきに述べたようにそこにはまたデカルトのきびしさというものも秘められている。

『序説』全体の終り近い段落でわれわれはふたたび良識の語を見いだす。そこで語られているのは著者が期待する読者の良識である。

「私が、私の先生たちのことばであるラテン語でなく、私の国のことばであるフランス語で書くのは、生まれつきの理性のみを用いる人々のほうが、むかしの書物しか信じない人々よりも、私の意見をいっそう正しく判断してくれるだろうと思うからである。そしてそういう良識をもつうえにさらに学問をも兼ねている人々はといえば、こういう人々をこそ私は私の裁判官としてもちたいのであるが、彼らも、私が私の議論を通俗のことばで述べているからといってそれを聴くことを拒むほど、ラテン語をひいきにはしていないであろうと信じる」。

ここで語られている良き読者の良識とは、剛健な判断力を意味するとともに心のひろい良き趣味をもまた意味しているように思われる。自己の判断に責任をもつ良識といわば博識やペダンチシズムとは別種であって、良識とそれらはまったく無縁なのである。

方法の立ちいった内容については本書の第2章2節で述べられる。したがって、ここでは、ただ方法の二、三の点についてだけ附記したい。

途の比喩

方法について語るさい、デカルトには、ギリシア語の語源（方法＝メタ・ホドス＝道に従うこと）を生かした「途《みち》」の比喩をしばしば用いる。人びとの意見が相互にまちまちであるのは、各人が「自分の考えをいろいろちがった途によって導く」からであるとか、ひじょうに「ゆっくりとしか歩かない人でも」もしもいつも正しいまっすぐな途に従って進むならば、途からはずれて走る人よりも、「はるかに先に進みうる」とか語る。一六一九年、神秘的な夢をみてデカルトが「驚くべき学問の基礎を見いだした」と信じたときも、その夢のなかで「いかなる生の途に従うべきか」という詩集のなかのアウソニウスの句を読んだのであるから、デカルトの想像力にはごくはやくから「途」のイメージがしっかりと根をおろしていたものと思われる。

ところで、方法であるこの途というのはいったいどのような特性をもっているのであろうか。まず第一に確実性の特性をもたなければならぬ。ゆっくりと途を進むというのは走ったり飛躍したりはせずに一歩一歩確実に歩みを進めることであろう。事実デカルトは第二部での方法についての第三規則でそのように述べている。「少しずつ、いわば階段を踏んで、……進むこと」。また、同じく第二部で「ただひとり闇の中を歩む者のように、すべてに細心の注意をはらおう、ゆっくりと行こう、と決心した」、と述べている。

第二の特性として、この途は平らで行きやすい途でなければならないであろう。ディネあての手紙のなかでデカルトは「つねにただ平らで行き易い途に従ってきた」と語っている。さきに引用したゆっくりとではあるが確実に歩みを進める人の例で、デカルトはその人が進む途を(正しい)「まっすぐな途《ドロア・シュマン》」と形容しているのであるが、この「まっすぐな途」というのはなにも物理的に直線的な途を意味しているのではないであろう。第二部で用いられている比喩によると、デカルトは最短距離の直線的な近道をとって岩をよじのぼったり断崖を押しわけてくだったりすることをすすめないで、むしろ山々の間をゆるやかにくねって行く、人びとに踏みならされた広い本道を行くことをすすめるのである。

したがって、第三に、デカルトが選んだ途というのは近い途というよりは長い道のりを厭わない途ということができるであろう。いったいそれはなにを意味しているのであろうか。デカルトのこの途は神秘家の暗い直観による途とか、無駄な手順のないできるだけ手ぎわ良く説得的な論証の最短の途などでなく、それは徹底した根本的探究の発見の途であったといえるであろう。この途は確実に目的に到達できることを望んで道のりの長いのを厭わないのである。『省察』を読んだ人ならばこの比喩の意味はよくわかるであろう。デカルトはそこでは自問自答によって問題の位層を一歩一歩深めながらなん度でも同じ問題に立ち帰っては省察を重ねている。さらに『省察』に附せられた「反駁と答弁」のなかで、論駁者達の反論にたいし最後まで『省察』を議論の筋を辿って読むようにデカルトはくりかえし要求している。したがって、デカルトの方法が演繹的であるといわれていることから、われわれがデカルトの途は最短の途であると考えるのは、先入見による誤ったイメージなのである。

▼途の目的

最後に、この途の目的がなんであるかを述べておきたい。それは良識である。良識には二つの意味があって、そのひとつは、いままでに述べた真を偽から分かつ判断の能力、もうひとつは知恵である。知恵が方法のめざす窮極の目標なのである。良識のこの二つの意味はまったく別々に切り離されている意味ではないであろう。なぜなら、真を偽から分かち、善を悪から分かつ判断の能力の完成した相《すがた》が知恵だからである。デカルトは『精神指導の規則』の第一規則において、良識を全一的知恵、あるいはまた全人的知恵と呼んでいる。知恵というのは理論的知識ばかりではなく「よく生きる」という実践的知をもあわせて統一しているのである。これがデカルトの方法が到達しようとめざした目的であった。『序説』の第一部ではつぎのように述べられている。

「その方法というのは、それによって私の認識をだんだんに増し、少しずつ高めて、ついには、私の凡庸な精神と私の短い生涯とをもって私の認識が達しうる最高点にまでいたりうる、と思われるような、方法である」。

この最高点がすなわち知恵にほかならない。

若き日のデカルト

ところで、デカルトは、年少のころ運よくある途を見つけだし、そこからこの途をつくりあげたという。この年少のころというのはいったいいつのころなのであろうか。運よくというのはいったいどのようないきさつによるのであろうか。私はつぎにデカルトが生まれたときから年少のころまでの伝記をみてみなければならない。

2 修学時代

▼法服の貴族

ルネ・デカルトは一五九六年三月三一日、トゥールとポアチエとの間にある小さな町ラ・エーで生まれた。伝記者バイエによると七つの町がはやくからデカルトの生誕地を主張して争ったという。それはそれとしてデカルトの後年のことばによると生まれた町は「トゥーレーヌ州の花園」だったのである。父ジョアシャンはブルターニュ高等法院の法官、ポアトゥ州に領地をもつ小貴族、母ジャンヌもおなじくポアトゥ州の出身で高官の娘であった。デカルトの上には二人の兄と一人の姉がいた。長男ははやく死んだが、次男の兄ピエールは父と同じく後年ブルターニュ高等法院法官になっている。われわれの哲学者は三男だったのである。デカルトが生まれて一年後に弟が生まれるが、生まれて間もなく死に、母もこの弟の出産三日後に死ぬ。しかし、デカルト自身は後年エリザベト王女にあてた手紙のなかで「母は私が生まれて数日後に肺の病のために死んだ」といっている。父や囲りの者からそのようにいいきかされていたらしい。

王女への同じ手紙のなかで「母から空咳と青い顔色をうけついだ」とデカルトはいっている

が、幼児のデカルトをみた医者はみなこの子は早死《はやじ》にをすると予言したという。そのためもっぱら健康を気づかわれながら祖母と忠実な乳母の「女達の手の下で」デカルトは育てられた。デカルトはこの乳母への感謝を忘れなかった。のちに終身年金を与えて生活を保証したばかりか、長生きした乳母のことをデカルトはその死の床での遺言で故郷の兄にたのんでいる。

デカルトの生まれた部屋（想像画）

田舎の家で体をつくることを主としてデカルトは成長したのであるが、父はこの子の教育にも十分に心をくばった。一家の子供達の教育にはデカルトの父は熱心であったらしい。妻を失ってまもなく父は再婚して一男と一女をもうけるが、この男の子はのちに父のあとをついでブルターニュ高等法院の法官となる。一家の男の子供の三人のうちの二人が法律家になったのである。父はルネも法律家にするのが望みであったのかもわからない。そのためであるかどうかはわからないが、学業を終えたのち、改めてデカルトはポアチエ大学で法律学の学位をとっている。父親が教育熱心であったのはモンテーニュやパスカルやイギリスのベーコンの場合と同じである。いずれも剣の貴族と呼ばれる封建貴族の出身ではなくして、大市民が富と土地をえて貴族化した身分の出である。剣の貴族にたいして、これらの者のなかから法官になるものが多かったところから、この社会階層の貴族は法服の貴族と呼ばれた。この階層からデカルトのような創造的な才能が輩出したのである。

「私は、ありがたいことに自分の財産のついえを減らすために学問を職業としなければならぬような、境遇にあるとは感じなかった」。

デカルトの個人財産がどれほどのものであったかは今日では正確なところはわからない。母方から故郷のペロンの土地その他を相続したので、若い頃オランダで貴族らしく〝ペロンの〟と名のって署名することがしばしばあった。ただこの財産についていえることはそれが十分にありあまるものだったとはいえないことである。だがそれは簡素で他人に依存しない生活を支えるだけはあった。一〇歳になるまで故郷のシャテルローの家で幼年と少年の時代を送ったデカルトは、ロアール川をこえた川むこうのアンジューのラフレーシの土地に新しく設立されたばかりの学校に入ることになる。一〇歳から家を離れて八年間の寄宿寮生活と学業時代がはじまるのである。

ヨーロッパのもっとも有名な学校

デカルトが入ったのは、国王アンリ四世がジェズイト教団（イエズ会）に命じてラフレーシにつくらせた王立学院である。学院は、一六〇四年のはじめに開校、デカルトが入学したのは二年後の一六〇六年であると思われる（これには異説がある）。アンリ四世とジェズイト教団との間にはかつて確執があった。それはアンリ四世がカソリックに改宗し王位につく以前はユグノ派（プロテスタント派）の最後の首領であったからであり、また一五九四年にアンリ四世に対する暗殺未遂事件が起こり、その背後にはジェズイト教団があるとされたからである。しかし、一五九八年ナントの勅令が出てフランスの内戦が収まり、新旧両教徒に同等の権利が認められると、国王とジェズイト教団との間には和解がうまれた。一六〇三年末ジェズイト教団はフランスの各地に学校を設立する勅許をアンリ四世から得るが、とくにラフレーシ学院にはアンリ四世学院の名が冠せられることになった。

ジェズイト教団というのは、ルター、カルヴァンの新教に対抗するために法王の精神的軍隊をつくることを目ざして、以前勇敢なスペインの騎士であり戦いに傷ついてのち修道士となったイグナティウス・ロヨラの手で一五〇四年に創設された教団である。この教団はきびしい軍隊に似た組織と規律をもち、海外の布教に従事したことでよく知られている。インドから渡来しわが国に布教したフランシス・ザヴィエルもこの教団の者であった。しかしまた、この教団は学校教育に力を入れたことでも名高い。「ジェズイトの学校にまさる学校はない」とフランシス・ベーコンは書いている。その理由をベーコンは「古代の学問教育のすぐれたところがジェズイトの学校のなかで再び息をふき返してきた」からであると述べている。

トマス主義者であるジェズイトの神父達は、当然教育内容の主柱をトマス・アクィナスの体系にもとめた。しかし、ルネサンスで再生した人文学すなわち古代の学問を進んで教育にとり入れるばかりでなく、神父達の好奇心は新しい学問や発見にたいしても十分に開かれていた。その証拠に、デカルトがまだ在学中、ガリレイが木星の衛星を発見したという知らせに、学院ではそれをたたえる行事が催されそこで詩が朗読されている。教育史学者達のなかには、ジェズイトの神父達がはじめて近代的教育の組織化に手をつけたと考える人びともいる。デカルトが「私がいたのはヨーロッパの最も有名な学校の一つで」あった、と書いたのはたんなる自惚れではない。

▼ラフレーシ学院での生活

デカルトは、「幼少のころから文字の学問で育てられた」と述べている。この「幼少のころから」というのは、たんに学院にはいってからというのではなく、父親の教育上の配慮からシャテルローの生家で受けた初等教育のことも含めているものと思われる。こ

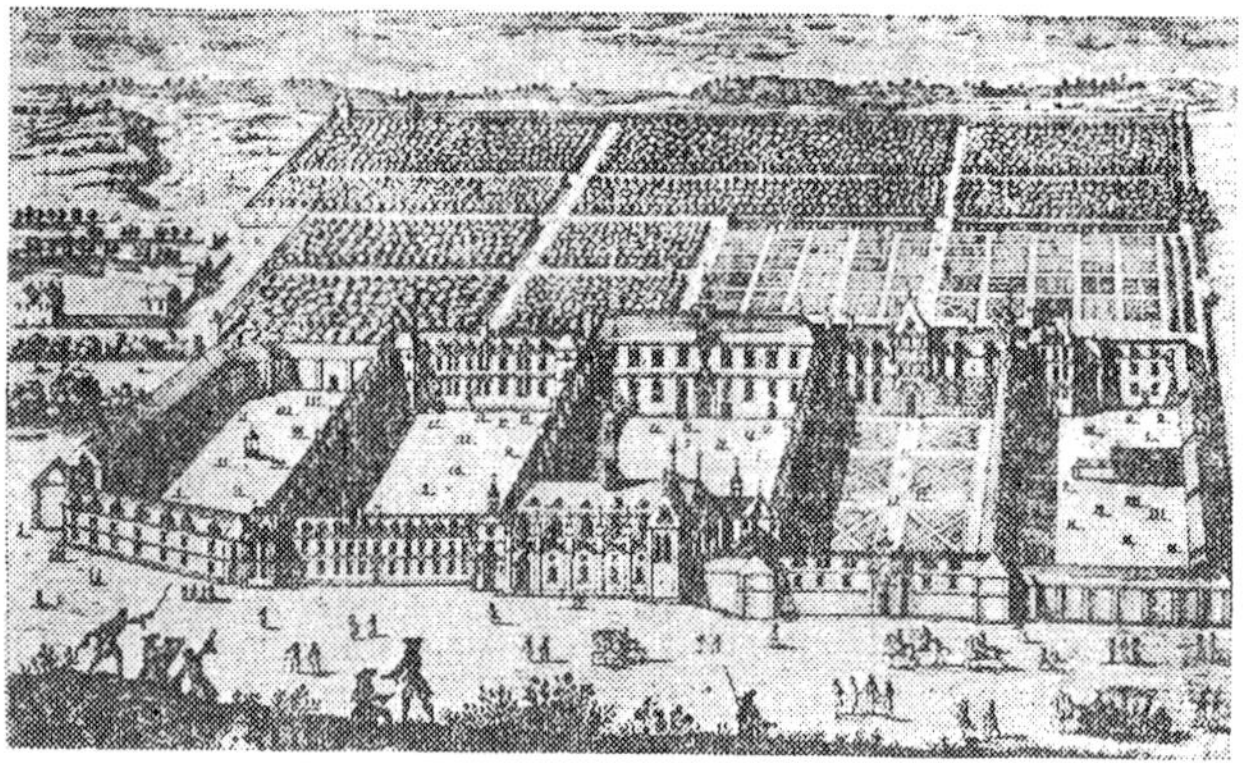

デカルトの学んだラフレーシ学院

こで文字の学問といわれているのは、人文学すなわち文法、歴史、詩、修辞学を意味している。デカルトはこれらの学問により「人生に有用なあらゆることの、明らかな確実な認識を得ることができるといいきかされていたので、それを学ぼうという非常な熱意」にもえて学院に入学したのである。しかし、学院の学業をすべて学び終えたデカルトが学んだ諸学問についてどのように考えるようになったか、どのような判断をそれら学問のひとつびとつに下すか、それは第一部の主題のひとつをなしているのであるからあとで別に述べたい。それに先だって学院でのデカルトの生活について二、三の事柄をここでみておきたい。

デカルトが入学したときの学院長は、ちょうど新しく替わったばかりの、母方の縁者にあたるシャルレ神父であった。このシャルレ神父の指導と配慮を、とくに在学中のデカルトは八年間にわたって受けることになるのである。デカルトはとくに教師達の目につく優秀な学生であったからであろう。また、遠縁にあたる学院長の配慮があったのかもしれない。デカルトはいくつかの講義に出席しなくてもよいという許しを得て多くの自由な時間を得たという。また、体が丈夫ではない点が考慮されたためか、特別に個室が与えられて朝はおそくまで寝ることが許された。この習慣はデカルトの一生を通じ身についたものとなった。朝、目ざめても急には起きないでそのまま床のなかに横わって考えごとにふけるのがならわしとなったのである。

メルセンヌとの出会い

学院在学中にデカルトは、一生を通じて友情を結ぶことになった親友を知る機会をえた。それはマラン・メルセンヌである。メルセンヌは開校と同時に学院に入学したのでデカルトよりも二年上級生になる。年も八歳ほど年長であった。メルセンヌと交わした手紙の数はデカルトの往復書簡のなかでずばぬけて数が多い。学院の学業を終えるとメルセンヌはフランシスコ派にはいって僧となった。学問をそのまま一生続けたのであるから学問僧になったわけである。

メルセンヌは一流の学者であるとはいえないが、多くの著作をのこし、その著作は時代史を知るうえでも今日なお研究に価する。ただメルセンヌは好奇心が強すぎ、そのために少々の混乱も気にとめないふうがあった。たとえば神の存在証明を百以上も数えあげたり、聖書にでるヤコブの梯子《はしご》がどれほどの高さかを知ろうとするというふうであった。デカルトは、親しい友人ホイヘンスに人の良いメルセンヌはあまりにもの知りたがり屋でありすぎるとこぼしている。だがデカルトがもっとも信頼した友人はこのメルセンヌであった。のちにデカルトがオランダに隠れ住んで研究に専念したときも、メルセンヌにだけは住所を知らせて、パリにいたメルセンヌの手を介して学者達との通信も行なわれた。いわばメルセンヌはデカルトのスポークスマンの役割を果たしたのである。メルセンヌが住んだパリの修道院の客間はやがて諸国の学者達が集まる討論と交友の場となり、メルセンヌ・アカデミーと呼ばれるようになった。フランス科学アカデミーのいわば前身となったのである。メルセンヌの人柄は穏和で親切で人をひきつけるものがあった。クロムウェルの清教徒革命のためにイギリスからパリに亡命してきたホッブスは、メルセンヌ・アカデミーに出入りしてメルセンヌと親交を結んだ。メルセンヌが死んだのは一六四八年、まだホッブスがフランス亡命中である。ホッブスはメルセンヌの死によってまるでよりどころを失ったような孤独を感じたという。

▼みずから工夫して発見する楽しみ

デカルトがそこから方法をつくりあげるある途を運よく見つけだしたのは学院在学中であり、一六歳から一七歳の頃ではないかといわれている。論理学や哲学の時間に一度ならず「一種独特な討論方法を用いて」先生達を驚かせ、困らせたことがある。そのように同じ教室で学んだある同級生の証言が伝えている。その方法というのはまず「名辞の定義を繰返し問うて」その定義を明らかにしようと努め、つぎに、人びとから容認されているいくつかの原理の意味を確かめるとともに既知の真理の承認を求め、最後に、「そこから抜け出すのがどうしても困難な一つの論証をそれからつくり上げた」という。さらにその証言は、デカルトは「その方法をそれ以後も手ばなそうとはせず、その完成に努めた」、とも伝えている。この証言の真実性を、『精神指導の規則』の規則第十が証拠だてている（デカルトが神秘的な夢をみたという一六一九年に書きとめたある断片も同様なことを述べている）。その規則はつぎのように述べている。

「打明けていえば、私の精神に生まれつきそなわった傾向として、つねに私が研究の最大の楽しみとしてきたのは、他人の説をただ聞くことではなく、その説を自ら工夫して発見することであった。そしてもっぱらただこのことのみが、まだ若い時分に、私を学問研究に誘ったのであるから、なにかある書物がその表題で新たな発見を約束しているばあいは、いつも書物を開いてそのままその内容を読み進む前に、同様なある発見が私の生具の推理力によって獲得されはしないかどうか、試してみた。……さてこのことが何度もうまくいって、最後にとうとう私は自覚した、もはや自分は、他の人がやるように、いつも不規則で場当りな研究をして、方法の力でというよりもむしろ偶然に力を借りて、事物の真理に到達するのとはちがって、真理発見に大いに役立ついくつかの確実な規則を長い経験によって見いだしたのである、と」。

若い頃はっきりと自覚しないままにこのように使用してきた方法的規則――『精神指導の規則』や『序説』で完成され仕上げられた規則ではなく――が具体的にどのようなものであったかは上述の同級生の証言の内容以上にくわしく知る手だてはない。だが、少なくともこれだけはいえるであろう。そこには判断を本質的な核心とする後年の方法の萌芽が見いだされうるはずである、と。デカルトは学院で教わるスコラの方法、すなわち三段論法の推論を主体とする方法に満足せず、推論の出発点までさかのぼり、そこでの定義と定義に含まれる観念をできるかぎり分析によって明晰にしようと努めたと思われる。

われわれはつぎに、学院で学んだ諸学問にかんしてデカルトがどのような判断を下したか、をみることにしよう。それは、さきに述べたように、第一部の叙述の眼目をなす主題のひとつなのである。

3　諸学への疑い

▼なんの益も得られなかった

生に有用な明晰で確実な学問知識をことごとく学び知ろうという願望にもえて入学したデカルトは、学業の課程をすべて終え、人から学者と呼ばれるようになると、その考えがすっかり変わった、という。変わったというのは学問への疑いを抱くようになったということである。「知識を得ようとつとめながらかえっていよいよ自分の無知をあらわにしたというほかには、なんの益も得られなかった」。したがって、デカルトが学院で学び知った既存の諸学問にたいして下す判断はけっして肯定的ではありえず、それは否定的判断であるだろう。

しかし、われわれがここで注意しなければならないことは、この判断は、絶望者あるいは挫折した者の不平・不満に充ちた否定的判断ではないということである。これら不平者の否定的判断は、その不満・否定の種をつねに判断を下す者自身の責任の外《そと》に、すなわち不平・否定をかこつ理由を自己以外のものに見いだす。しかし、ここのデカルトの叙述をよく読むならば、デカルトがここで下す否定的判断は、そのような種類の判断とまったく質をことにしていることにわれわれは気づくはずである。学校は「ヨーロッパの最も有名な学校の一つ」であった。

そこでの教師達は「この地上のどこかに学識ある人がいるのならば、ここにこそいるはずだ」と判断されたのであるから、学んだ先生達にデカルトは不平・不満があったわけではない。自分自身にたいしてもまたデカルトはなんらの不満の種をもたない。「教えられる学問だけでは満足せず、きわめて秘術的な、世のつねならぬものと考えられている学問」、すなわち、占星術、手相術、錬金術、魔術のたぐいについて書かれた書物も、「手に入れえたかぎりのものにはすべて目を通した」。デカルトは学問にたいする自分自身の努力に満足しているのである。若い頃の往復書簡や書きのこした断片などから、学院在学中のデカルトがレイモンド・ルルスの書物やネッテスハイムのコルネリウス・アグリッパの神秘哲学の本、さらにはジャン＝バプティスト・ポルタの自然魔術の本など読んでいたことがわかる。また、デカルトが学院での最優秀な学生であったことは自他ともに認めるところであった。「私が仲間より劣ると見られているとは思わなかった」。最後に、デカルトは自分が生きた時代について以下のように語っている。その時代は「いかなる時代にも劣らずはなばなしい時代であって、多くのすぐれた人々を生みだしているのである」、と。

あらゆる条件が自分自身にかんしても周囲の環境にかんしても肯定的である。これら肯定的諸理由を踏まえて、デカルトは自由な否定的判断を下す。これが諸学問についてデカルトがここで下す否定的判断の本質的な特徴である。自己を拘束する一切の不平・不満の種、否定的な理由が存在しないことを知ってはじめて、デカルトは自分をよりどころにして他のすべての事柄を判断してもかまわぬ、そのように判断する自由を獲得したと判断するのである。したがって、この判断はいささかの奇嬌《ききょう》なところも偏ったところもなくて公平であり、それにもかかわらず諸学問の根底までも剛刀で断ち割ってみせる否定的判断である。

▼それでも学校でする勉強はたいせつだ

諸学問についての否定的判断を述べるに先だち、デカルトはつぎのように述べる。「それでも私は、学校でする勉強をやはりたいせつだと思っていた」。デカルトは諸学問について肯定すべきものをまずはじめに公平に肯定するのである。ギリシア語やラテン語は古代の書物を理解するために必要であり、寓話のおもしろさは精神をよびさまし、歴史の物語る目ざましい出来事は精神を高め、慎重にそれを読むならば判断力を養う助けになる。

「すべての良書を読むことは、それらの著者であるところの、過去の時代の最もすぐれた人々との、いわば談話であり、しかも彼らがその思想の最上のものをわれわれに示してくれる、よく準備された談話なのである」。

修辞学の雄弁も詩も、数学も数学を応用した技術も、道徳の教えやさらには神学も、有益であることをデカルトは認める。哲学やさきに述べた魔術・錬金術などの人を欺く知識についてのデカルトの評価は十分にきびしいものであるが、法学や医学などの実用的な知識も含めてそれらの知識を学んだことはけっして無益ではなかった、とデカルトは判断する。上述の判断は、ただ否定するだけに性急な血気にはやる判断ではなくて、十分に分別ある大人の判断である。

それゆえ、ある歴史家達は、学院を卒業したばかりの青年にしてはこの判断はあまりに大人の判断でありすぎる、という。しかし、歴史家達のこの説の当否はともかくとして、学院で習得したラテン語はデカルトの血肉となりほとんど第二の国語となっていることは、『省察』や『哲学の原理』のようにラテン語で書かれた著作や多くのラテン語の書簡を読むとわかるし、「雄弁をたいへん尊重した」ということばに偽りのないことは、書簡に自由に引かれているキケロ、ホラチウス、オヴィディウス、セネカなどの古代の文人の詩句がそれを立証しているし、「詩に夢中になっていた」ということばは、スウェーデンのクリスチナ女王にたいし、三十年戦争の終結を祝う舞踏会への出席をことわったかわりに献呈した詩劇『平和の誕生』は彼の死の前年に書かれたという事実が、その真実性をわれわれに納得させるであろう。肯定すべきものを肯定するデカルトの上述の叙述はむしろ偽りのない率直なことばと理解すべきであろう。

▼諸国語・歴史学・修辞学

『序説』のなかで諸学問についてひとつずつ判断・評価する諸学問枚挙の順序は、だいたいにおいて学院において学んだ学問の順序に従っている。まず、学院では三年間の文法学級がある。この三年間にラテン語やギリシア語の諸国語が学ばれ、またオヴィディウスやイソップスなどの寓話、さらにおそらくはギリシアやローマの偉人達の伝記である歴史が学習された。もっとも歴史は文法学級ではなく、つぎの人文学級で学ばれたという説もある。これらの諸国語や歴史、寓話についてのデカルトの判断はつぎのとおりである。古代の諸国語を学び、それらの国語で書かれた古い書物の語る歴史や寓話を読むために、「もはや十分な時を費やした」。これ以上それらを読むのに時間をかけるつもりはない。それが学院を出たデカルトの考えである。古い書物を読んで、前の時代の人びとと談話をかわすことは、旅をするのに似ている。さまざまな違った国の習俗を知って判断を健全にするためにこのような旅は有益である。

「けれども旅行に時を費やしすぎると、けっきょく自分の国では他国者のようになってしまう。同様に過去の時代に行なわれた事がらにあまり興味をもちすぎると、いまの時代に行なわれている事がらに対しては、たいていきわめて無知な状態にとどまってしまうものである」。

これがデカルトの判断であった。デカルトがセルヴァンテスの物語を読んでいたかどうかはわからないが、ある種の古典学者はどうかするとセルヴァンテスの騎士物語に出るドン・キホーテに似る、というような考えがデカルトの否定的判断であった。

つぎの二年間の人文学級と一年間の修辞学級では、もっぱら修辞学での雄弁と詩学が学ばれる。雄弁と詩にたいするデカルトの判断は、両者はいずれも「学んで得られるものであるよりは、むしろ生まれつきの才能である」、という判断である。ブルターニュ海岸地方の片田舎の方言しかしゃべらず、修辞学を一度も習ったことがなくても、生まれつき自分の思想をもっともよく秩序づけて明晰に語ることのできる人びとは、「自分の述べるところをいつも最もよく人々に納得させうるのである」し、詩学を知らなくても美しい詩句を綴ることのできる人びとは、「やはり最上の詩人であることに変わりはない」。そういう判断であった。

▼私は数学が気に入っていた

最後の三年間に哲学が教えられる。詳しくいうと、第一年目に論理学、第二年目に自然学を主にして数学を、第三年目に形而上学を主にして道徳もまた補足して教授されたらしい。学院で学んだアリストテレス以来のスコラの論理学についてのデカルトの判断は、第一部ではなくして第二部において述べられている。

「三段論法やその他の〔スコラ論理学の〕教えの大部分は、ものを学ぶためによりはむしろ、すでに自分が学び知っていることを他人に説明するために、役だつ」。ライムンドゥス・ルルスの術にかんする判断も第二部での同じ箇所でつぎのように述べられている。

「みずからの知らない事がらについて、なんの判断もせずに、ただしゃべるというために、役立つものである」。

第一部ではこのように論理学について語ることは省略され、その代わりに数学についての判断が述べられている。「私はとりわけ数学が気に入っていた」、とデカルトは告白する。学院での数学教授はジャン・フランソワ神父であった。デカルトは後年自著『哲学の原理』をこの旧師に贈っている。しかし、フランソワ神父が若いデカルトにどのような影響を及ぼしたかはっきりしない。むしろ、デカルトはラフレーシ学院の図書館に所蔵され、「当代のユークリッド」

と当時の人びとから呼ばれたクラヴィウスの著作など読んで数学を自習し、新しい問題の解き方を工夫したらしい。ともかく学院でのデカルトが数学を愛好し当時から人目をひく数学の才能を示したことは、伝えられている当時の記録から知られる。数学を好んだ理由を『序説』ではつぎのように述べている。それは数学の証明の論拠が「確実性と明証性」をもつからであり、その基礎が「しっかりして動かぬもの」だからである、と。しかし、この数学が築城術や測量術や地図作製などの応用や機械的技術にのみ役立てられて、その基礎の上に「もっと高い建物をだれも建てなかったことをふしぎに思った」のである。したがって、学院を卒業した当時は「まだ数学のほんとうの用途をさとってはいなかった」。これらのことばは、判断というよりは数学の真の意味を覚っていなかった自己の無知の告白というべきであろう。数学を評価するにあたり、確実性、明証性というデカルト哲学において積極的で重要な意味をもつ用語をデカルトが用いている点にわれわれは注意すべきである。これらのことばによってデカルトはここで数学を否定的ではなく肯定的に評価しているのである。

さらにわれわれがよく注意しなければならないことは、ここにおいて、「基礎」という用語が用いられている事実である。この語は地味で目立たぬことばであるばかりか、けっして高い頻度でもって使用されることばでもない。しかし、それにもかかわらず「基礎」という語はデカルト哲学においてもっとも重い意味を担う用語のひとつであろう。後年デカルトはガリレイを批判してガリレイはその「自然学を基礎なしに建てた」、という。基礎づけというのがデカルト哲学が果たさなければならないもっとも根本的な仕事なのである。

古代の道徳の書物（ここでいわれているのはもっぱらストア派の書物である）には、基礎という観点から、数学とは正反対のきびしい否定的評価が下される。それらの書物で説かれている道徳の教えは、「砂と泥の上に建てられたにすぎぬ、きわめて豪奢《ごうしゃ》な壮麗な宮殿にたとえ」うる。それがストア派の道徳にたいするデカルトの判断である。

▼天国に至りたいが、神学は無益

宗教にたいするデカルトの態度は今日でもさまざまに論じられている。しかし、「私はわれわれの神学を尊敬していた。そして他のだれにも劣らず天国に至りたいと望んでいた」、というデカルトのことばに偽りはない、と私は考える。ただ、皮相的で煩瑣な合理的神学、すなわち、有限な人間理性の解釈に宗教の啓示された真理を従わせる当時のスコラの自然神学というものを、デカルトは認めようとはしなかった。そのような神学にたいするデカルトの判断はするどくかつ否定的である。「天国への道は、最も無知な人々にも、最も学識ある人々にと同様に、開かれている」。上述のような神学は救いには無用である、というのである。

デカルトの宗教にたいする態度には二つの面があるように思われる。一面では、乳母の乳とともに摂取し、精神の養いとしてきた宗教、単純な「私の乳母の宗教」を心からデカルトは尊重する。オランダの地で、ある狂信者にはげしく新教へ改宗を迫られたとき、デカルトは「私は私の乳母の宗教」にとどまる、と答えたと伝えられている。この答えには、この狂信者にたいする穏やかな皮肉がこめられているばかりか、それとともにデカルトの偽らぬ本心もそこにこめられているといえるであろう。デカルトは神学論争にみずから巻きこまれることをつねに用心深く避けようとしてきた。その理由は、このような論争が本質的に不毛であるばかりか、真の信仰心にとり無益であるよりもむしろ有害である、と感じていたからにちがいない。たんなる政治的警戒心のみがこの態度のうちに働いていたのではない。しかしその反面、デカルトは自己の哲学の根本にかかわり、人間の窮極のあり方にかかわる神学的問題、たとえば神の連続的創造説であるとか永遠真理創造説であるとか自由意志の問題であるとかにたいしつねに強い関心をもちつづけ、真正面から自己の思索の問題として取り上げるのを避けたことはなかった。

真らしくあるにすぎぬことは偽とみなす

哲学にたいする判断はといえば、それはもっときびしく否定的である。

「哲学については次のことだけいっておこう。それが幾代もの間に現われた、最もすぐれた精神をもつ人々によって研究されてきたにもかかわらず、いまだに、論争の余地のない、したがって疑いをいれる余地のないような事がらが、何一つ哲学には存しない」。

この叙述には容赦のないけわしい調子がある。しかし、哲学についてのこの徹底した否定判断のなかには大切な観念が述べられている。それは「真（真実）」と「真（真実）らしくあること」との峻別である。

「私は、真実らしくあるにすぎぬ事がらのすべてを、ほとんど偽なるものとみなした」。「真らしさ」の蓋然性がどれほど高くて、ほとんど「真」そのものである、とわれわれに信じ込ませるほどの事柄も、デカルトはそれを「真である」と認めることを絶対的に拒み、むしろそれを「絶対的に偽である」(第四部)と判断した。

この判断において第一部の冒頭に書かれた良識の定義、すなわち、「真なるものを偽なるものから分かつ能力」であるという定義は、考えうるかぎりもっともきびしくラジカルな形をとることになる。現代でデカルトのこの途の跡《あと》を追った思想家はエドモンド・フッサールである。しかし、いま述べたところのデカルトの思想を、フッサールの現象学的還元、「真らしい」ものを「真である」と判断するのを差し控えること、すなわち「真である」とも「偽である」とも判断することを判断中止《エポケー》する、という思想とひきくらべてみるならば、デカルトのこの思想ははるかにけわしく、かつ、克己的に徹底した思想である、ということができるであろう。なぜなら、「真らしいもの」を「絶対的に偽である」と判断した以上、デカルトは、フッサールのように判断中止から出発することはできず、真なる基礎を見いだしえないあいだ、懐疑の淵に、いわば絶対の否定の闇のなかにいなければならないからである。

「ただひとり闇の中を歩む者のように、……ゆっくりと進もう」。

この「真らしい――真らしくみえるにすぎないもの」を「真」から峻別すべきだという観念は、先に私が指摘した「基礎」という観念と密接に結びつく。デカルトは、つぎのようにいう。

「その他の学問についていえば、それらは原理を哲学から借りているのであるから、あのようにあやふやな基礎の上には堅固な建物が建てられうるはずはない」と判断した、と。

▼二つの転機

以上が学院で学んだ諸学問の個々についてのデカルトの判断である。これらの判断から下した結論は、入学するにあたって「人から聞いて得たいと思ったような学問は、まだこの世の中に存在していない」、という全面的な否定の判断であった。もし、望む理想とする真なる学問を手に入れようとするならば、みずから発見したゆるぎない基礎の上にそれを建設するほかない。

しかし、ただちにデカルトはこの建設の仕事にとりかかったのではない。デカルトの生涯はただ一筋の直線を描いているのではなく、いわばその生涯は二つの節目《ふしめ》、二つの転機をもった軌跡を描いている。そのひとつの節目がいま述べた、学院を卒業するにあたっての、諸学問への全面的な否定的判断である。この否定的判断によって、デカルトは、自分の先生達の手と書斎の書物から自分を解放する自由を手に入れ、この自由に基づいて、書物の学問を捨て世間のなかで遭遇する経験によって「世間という大きな書物」から今までとはまったく別種の学問を学ぼう、と決心したのである。ここで用いられている「決心」ということばは、頻繁に用いられている用語でも目立つ術語でもない。このことばは日常ふだんのことばであるためにわれわれはついそれを見過ごしてしまいがちである。しかし、このことばは、いくつかのこの種のことばがそうであるように、デカルトの哲学では重い意味を担うことばであって、節目々の重大な判断においては、ほとんどかならずといってもよいほど、「決心」ということばが用いられている。この第一の「決心」がデカルトの生涯のひとつの節目をかたちづくっている。

さらにまた、第二の「決心」が第二の節目、第二の転機をかたちづくることになる。世間のなかに出てさまざまな物事を見、さまざまな経験をしたデカルトは、ある日、自分自身をも研究しようと考え、自分自身のもとに立ち戻ることを決心する。この「決心」による第二の転機の次第は、第二部の冒頭において、有名な炉部屋における思索として語られる。

▼修行、基礎の発見、新しい学問の建設

したがって『序説』で描かれるデカルトの生涯は、学院における学習時代と、学院を出て世間という大きな書物から学びかつそのなかで自分を鍛えようと旅をした時代と、自分自身のなかに新しい学問の基礎を発見し、その基礎の上に学問を建設する仕事に従事した時代、との三つの時期に分かたれる。最後の時期、すなわち、どのような基礎を発見し、どのような新しい学問をその上に建設したかは、第四部とそれ以降において述べられる。第一部では第一の転機の次第が主として述べられ、第二部と第三部では第二の転機とその転機からいよいよ学問建設の仕事に着手するまでの時期が述べられている。

実は第二の転機、第二の節目、の意味は複雑であって、この節目をさかいに一気にいわば直線的にデカルトの生涯は第三の最後の時期にはいるのではない。第二の転機の意味が最後の第三の時期においてはっきりとした姿をとり結実するまでのあいだには、再び、九年間の旅の時期がはさまるのであるから、私の上の区別によれば、第二部と第三部は第二の時期にはいることになるであろう。そのことをもう少しはっきりとさせておきたい。

上に述べた炉部屋での思索で、あるいはその頃（一六一九年一一月一〇日）にみた三つの夢のなかでのいわば神秘的啓示をうけ、「驚くべき学問の基礎」を見いだしたデカルトは、まだ当時二三歳であった。デカルトは、この基礎の上に体系建設の仕事をはじめるにはまだ自分の年齢が未熟であると考え、仕事をするに十分な成熟した年齢に達するまでのあいだを旅で過ごそう、旅でのさまざまな経験で自己を鍛えよう、と決心して、翌春三月、炉部屋を出て再び旅に出かけた。オランダに隠れ住んでいよいよ体系建設の仕事に手を染めるまで、その間九年の年月が流れた。この旅の九年間の意味をわれわれがここで改めて考えてみようとするならば、それにはデカルトの記述はただ事柄のみをのべて感傷も説明もなくあまりに淡泊で短いのに驚く。デカルトの『序説』における記述とはそのような記述である。学院を出てから炉部屋で思索するまでの間にデカルトは三年間の旅をしたのであるから、九年間とあわせてデカルトは約一二年間の旅をすることになる。

4 旅 へ

▼ポアチエ大学へ

一二年間のデカルトの旅の足どりはそうくわしくはわかっていない。ことに学業を終えてからの三年間のことはわかりにくい。学院を卒業したのは一六一五年の秋、一九歳であるらしい(これには、一二年、一四年卒業のいろいろな異説がある)。学院の課程は九年間であるが、八年余りで終えたことになる。さらにそれからポアチエ大学で法律学を修めた。おそらくは医学もそこで修めたのではないかといわれている。一六一六年五月に間借りしていたポアチエの仕立て屋の赤ん坊の洗礼式に名付け親として立ち会った教会の記録が現在も残っているから、その時デカルトはポアチエ大学の学生としてその地に滞在していたらしい。同じ年の一一月に同大学で法学士の学位を得ている。しかし、デカルトは一生法律や医学を自分の職業としようとしたことはなかった。法律や医学を職業としそこから名誉と富を得ようとはしないことをはやくから心にきめていたらしいことはつぎの文からわかる。

「それらの学問〔法学や医学やその他そのたぐいの学問〕が約束する、名誉も利得も、私をさそってそれらを学ばせるにはたりなかった」。

デカルトの父親は息子がこれら世間に有利な職業を見棄ててかえりみなかったことに失望したらしい。父親が死ぬ四年前の一六三七年にデカルトの最初の著書である『方法序説』が出版されたが、父はそれを聞いて、「子牛の皮を着た本をつくるような馬鹿な息子を生んだのが残念であった」といったという。男兄弟達も父親と同意見であって、三男のデカルトが哲学者であることを恥じるふうであったらしい。われわれのデカルトは男兄弟達と疎遠であり、親しかったのは姉妹や姪などの女の親類であった。

▼パリのデカルト

ポアチエ大学を去ってからいつデカルトがパリに出たのかははっきりしない。伝記記者バイエによると、一六一二年、当時レンヌに邸《やしき》があったデカルト家のもとに帰省しそこでその冬を過ごしたのち、翌年の春にパリに出たことになっているが、これはいろいろな点から事実に合わない。一六一七年の一〇月と一二月に二度ナントに近い町の教会でやはり洗礼式に名付け親として立ち会った記録が教会に残っているから、おそらくはポアチエを去ったデカルトはその前後ごろからパリにいたのではないかと思われる。バイエによると、パリでデカルトは学院での旧友メルセンヌに再会し、また数学者ミドルジュと知り合ったことになっている。パリにおけるデカルトは当時の身分ある青年らしく遊び友達と乗馬の遠出、勝負事、その他さまざまな気晴らしに耽《ふけ》ったという。そのようなことがあったとしても別に不思議なことではない。

ただ、いくらか奇妙に感じられる話をバイエは伝えている。親友となったメルセンヌが司祭としてパリから離れて任地に去ると、デカルトは急に遊び友達のまえから姿を消してサンジェルマンあたりの家に身を隠し、別離のさびしさをまぎらわすために数学の研究に没頭してそのまま二年ほどたった。ところが、街頭で思いがけず悪友の一人に見つかり再び遊び仲間達のもとに引き戻されたが、遊び事にはかつてのよろこびを覚えずただ音楽にだけその魅力と美しさを感じた。この話は、ある歴史家によると、イタリア旅行から戻って再びパリに滞在した時期の一六二七年頃の実話——友人が下男の手引きでデカルトの隠れ家をたずね、ドアの鍵穴から朝おそくまで床にいて考えごとにふけっているデカルトを覗きみしたという話——と二重にだぶらせて混同したものであろうという。ともかくこの時期のパリでのデカルトの行状は一種の伝説につつまれているのである。

▼オランダ軍への入隊

たしかなことは一六一八年（一説では一七年）にオランダのナッサウ公マウリッツの軍隊に見習の志願士官として籍をおき入隊したことである。父親は長男と異母弟の二人に高等法院の法官の職を得させたので、三男には国王につかえる武人として身を立てさせようとしたのかもわか

17世紀初頭のパリ

らない。当時としてはごく普通の身のふり方であった。デカルトは軍隊に参加するためにオランダのブレダにおもむく。この町で偶然のいきさつから同地の学者イサク・ベークマンと知り合うことになる。ベークマンとの出会いのことは本書の第3章でくわしく述べられている。当時フランスの青年貴族が軍隊に参加するとすれば、トルコ軍と戦っていたハンガリーの軍隊に身を投ずるか、同盟軍である新教徒の軍隊オランダ軍に加わるかであった。その頃オランダはスペインと戦争していたのである。デカルトがナッサウ公の軍隊に入った時は両国は休戦状態にあったのだから、デカルトが直接戦闘に参加するということはなかったようである。むしろデカルトは軍隊に加わることによってオランダとドイツの各地を旅行する機会を手に入れたのである。当時の習わしとして志願士官は給料をもらわなかった。ただ一度だけデカルトは儀礼的に金貨を貰い、記念としてそれをとっておいたという。

▽ある日私は、自分自身をも研究しようと決心した

われわれは再び第一部の叙述に戻ろう。書物の学問は全く棄てる決心をしたが、しかし「行動において明らかに見、確信をもってこの世の生を歩むために、真なるものを偽なるものから分かつすべを学びたいという、極度の熱意をつねにもちつづけた」、とデカルトはいう。デカルトは、世間のなかに出て、そこで起こる偶然の事件によってわが身を試そうとする。そこでの判断は書斎のなかでなす判断や推理と違って、一度過《あやま》てば、すぐにその結果によってわが身が罰せられことになる。したがって、「学者が書斎でたんなる理論についてなす推論の中によりも、はるかに多くの真理を」そこに見つけだせるはずだ、と考えた。デカルトは書物を離れ旅に出た決心を悔いたことなどない。しかし、「世間という大きな書物」のなかにも、デカルトがのぞむところの確信を与える知識を見いだすことはできなかった。さまざまな土地で多種多様な慣習や風俗を経験し観察して下した彼の判断は、きわめて奇矯で滑稽にみえる行動もある国々ではごく普通に受け入れられている、ということであり、「先例と習慣とによってのみそうと思いこんだにすぎぬ事がらを、あまりに固く信ずべきではない」、という判断であった。この否定判断により、経験人の誤りすなわち習俗・先例に基づく偏見からデカルトは自己を自由にしたのである。

このようにして、ある日、彼は自分自身のうちをもまた研究しよう、そしてとるべき途を選ぶために精神の全力を用いよう、と決心した。この「ある日」というのは、一六一九年の冬、炉部屋での瞑想の一日のことである。この炉部屋での思索がさきに述べたようにデカルトの生涯の歩みの決定的な第二の転機、大いなる節目を象徴することになるのである。

▼デカルトの方法

『序説』の第一部を素直に読み直してみると、われわれは、デカルトの方法というものがたんに物理的にまっすぐで必然的な途ではないことに、気づくであろう。第一部での叙述は、ある意味でデカルトがたどった生涯の歩みはつねに方法的であったことを述べている。すなわち、偶然に身をゆだね、世間の偶然な出来事によって自己の精神を鍛えようとすること、そのことがまた方法的な生の歩みであった、そう述べているように思われる。もしそうであるならば、二つの節目をもつデカルトの生の軌跡は偶然性をふくみ、方法的に導かれた生の軌跡はけっして必然的かつ直線的であるのではないということになるであろう。われわれは偏見と先入見を拭いさって新しい目でデカルトのこのような方法を考えなおしてみなければならないであろう。偶然にたいしてどのように方法的に処するかは暫定的道徳の格率のなかで述べられている。そうして、この偶然に処する暫定的道徳を定めるということ、そのこと自体がまた方法的な事柄なのである。

このようにデカルトの方法とは良識の判断の自発の力を殺し妨げるものではない。デカルトの方法はそのような小手先のたんなる合理的技術ではないのである。この暫定的道徳および方法についてはつぎの第2章と第3章でくわしく述べられるであろう。ここでは、方法自体について一言だけつけ加えておきたい。方法そのものが純粋にそれ自体として述べられているのは第二部においてであるが、そこでの記述はわれわれが現在用いている全集本の頁数でいうとわずかに一頁にも満たない。『方法序説』という著作全体の一二五分の一、すなわち著作全体の一パーセントにも満たないのである。したがって、学者の間では、一六二八年頃までに書き綴られて未完成に終わった『精神指導の規則』(三巻に分かれた、各巻一二規則を含むはずであったが、規則第二一までしか書かれていない)の記述のほうが、一六三七年に書かれて公刊された『方法序説』での方法の記述よりも完備して完全であり、『序説』における記述は不完全である、という考えが支配的である。なるほどこの考えはもっともである。しかし、私はこの考えに賛成ではない。なぜなら、この一頁にも満たない方法についてのデカルトの記述こそはデカルトの判断がいかなるものであるかを教える最上かつ本質的な模範例であると思われるからである。『精神指導の規則』において本来あるべきであった三十六規則は、『序説』ではたったの四つの規則に還元されている。しかし、この還元はたんなる簡便な要約ではない。

「私は、論理学を構成するあの多数の規則の代わりに、たとえ一度でもそれからはずれまいという固い不動の決心をさえするならば、次に述べる四つの規則で十分である、と信じた」。

このことばのなかにデカルトの方法の秘密があるといえるであろう。しかし、なぜ、たった「四つの規則」で十分であるのか。デカルトの方法の真の意味を知ろうとするならば、われわれはわれわれ自身でもって、もっとも明快でありながらもっとも謎にみちたこのことばの意味をよく考えてみなければならないであろう。

第2章　炉部屋での思索

——『方法序説』第二部・第三部

1619年，フランクフルトで行なわれたフェルディナント2世の戴冠式。23歳のデカルトもこれを見物している。

1　諸学の統一

『序説』第一部の末尾には、学院を出て世間を見るのに数年を費やしたのち、「ある日私は、自分自身をも研究しよう、そして私のとるべき途を選ぶために私の精神の全力を用いよう、と決心した」とあるが、続く第二部・第三部では、その点が、あらためてくわしく取り上げられる。すなわち第二部では、新たな哲学の構築を自分一人ではじめねばならぬ、と悟った次第をまず述べて、ついでそういう企てのために工夫した学問の方法について語り、第三部では、学問研究の支えとなるべき生活上の方針について述べている。われわれはつぎに、これらの論を順々にたどってみることにする。

▼ドナウ河畔の村の炉部屋

『序説』第二部の冒頭で、デカルトはこういっている。

「当時私はドイツにいた。そこでいまなお終わっていないあの戦争に心ひかれて私はそこへ行っていたのである。そして皇帝の戴冠式を見たのち、軍隊に帰る途中、冬がはじまってある村にとどまることになったが、そこには私の気を散らすような話の相手もおらず、また幸いなことになんの心配も情念も私の心を悩ますことがなかったので、私は終日炉部屋にただひとりとじこもり、このうえなくつろいで考えごとにふけったのであった。」

ここに戦争といわれているのは、いわゆる三十年戦争のことである。その発端は一六一八年、ボヘミアの新教徒が、ハプスブルク家から立ったボヘミア王フェルディナントの統治に抗して反乱を起こしたことにあるが、これが全ドイツに波及して、新教諸州の連合と旧教諸侯の連合との全面的な対立へ発展したのである。デカルトは戦闘の場面を見たいと思い、一六一九年四月にオランダを発ち、デンマークをまわってドイツへ向かう（従者と二人だけで舟を雇ったところ、船頭どもが金を奪ったうえ、海に投げこむ相談をはじめたので、剣を抜いて恐れ入らせ、無事に舟をやらせた、と手記にあるのは、あるいはこのときのことかもしれない）。そして、九月にはフランクフルトで新しくドイツ皇帝となったフェルディナント（フェルディナント二世を称した）の戴冠式を見物し、ついで旧教軍の一翼をになうバヴァリア公マクシミリアン一世の隊に加わった。しかし、このとき戦闘はなく、デカルトは一〇月、ドナウ河畔のノイブルク公国に入り、村の宿舎にとどまって、ドイツ式スト

ドイツの炉部屋の図。多分これと似た部屋で、若いデカルトは思索にふけったのであろう。

ーヴのある部屋で冬を越すことになったのである。

このとき炉部屋で考えついたことが、上に引用した文章のすぐつぎのくだりに示される。

▼ひとりで仕上げた作品のほうが完全だ

「多くの部分から組み立てられ異なった親方の手でできた作品には、多くの場合、ただ一人が仕上げた作品におけるほどの完全性は見られない。」

たとえば、古い建物に多くの人の手でいくら改修を加えてみても、ただひとりの建築家が設計し完成した建物のようにすっきりしたものはできない。都市の場合でも、長年のうちに大きくなった古い都市は、個々には立派な建物があっても、全体のつりあいがとれておらず、ひとりの技師が荒野をひらいて思いのままに設計してつくった都市の規則正しいのに及ばない。さらにまた、神のみが掟を命じたところの真の宗教のもつ体制が、他のあらゆる体制よりもすぐれているのと同様に、一国の法律にしても、事あるごとに設けられた雑多な法律の集積よりは、ひとりの賢明な立法者の定めた簡単明瞭な法のほうがしっかりしている。学問の場合も同様であって、多くの人びとの意見から成り立つ蓋然的な知識の寄せ集めよりも、良識あるひとりの人が生まれつきの持ちまえでなしうる単純な推理のほうが、はるかに真理に近いのである。

このように、真の学問が内的論理的な統一をもたねばならぬことを強調したうえで、さらにつけ加えてデカルトは、そのような学問的理想を目ざすにあたっては、以前に受け入れたあらゆる意見を、一度きっぱりと取り除いてしまおうと企てることが必要である、と考えるに至った、といっている。

▽ただひとり闇のなかを歩む者のように

けれどもその際デカルトは、この企てが、公けの制度の変革にかかわるものではなくて、全く自分ひとりのことである、とくりかえし断わっている。公けの組織のほうは大規模な建物のようなものであって、いったん倒されると建て直すのがむずかしく、それどころか、ゆり動かされてもちこたえることすらむずかしく、その倒壊はまことにひどい結果を生まざるをえない。

「このゆえに私は、生まれついた身分からいってものちに得た地位からいっても公事をつかさどることを求められていないのに、いつも頭の中で何か新たな改革を考えることをやめない、ですぎたおちつかぬ気質の人々を、どうしても是認しえないのである」。

続けてこうもいっている。「私の計画は、私自身の考えを改革しようとつとめ、まったく私だけのものである土地の上に家を建てようとすること以上におよんだことは決してない」と。

それにまた、これまで受け入れたあらゆる意見を捨てようという決心だけでも、誰もが倣ってよい例ではない、という。デカルトの見るところでは、世間は、そういうことに全く適しない二種類の人びとからのみ成っているといってもよいほどである。すなわちそのひとつは、自分を実際よりも有能だと思いこみ、何ごとについても早まった判断をくだすのを控ええない人びとである。こういう人びとは、普通の道から離れる自由を手に入れると、一生涯あちらこちらとさまよい続けるであろう。第二は、自分の能力に自信のもてない人びとであって、こういう人びとは、自分自身でいっそうよい意見を求めるよりは、他人の意見に従うことにむしろ満足すべきなのである。そして、デカルトみずからも、もしただひとりの先生しかもたず、学者たちの意見がまちまちであることを知らなかったならば、自分は疑いもなく第二の種類の人間に数えられたであろう、という。しかしデカルトは、すでに学校時代に、哲学者達がどんなに奇妙で信じがたいことをいっているかを思い知ったし、またその後旅に出て、人びとに確信を与えているのは、確かな認識であるよりもむしろ習慣や先例である、ということにも気づいた。

「こういう次第で私は、他をおいてこの人の意見をこそとるべきだと思われるような人を選ぶことができず、自分で自分を導くということを、いわば、強いられたのである。」

しかしこれは、「ただひとり闇の中を歩む」ようなものであるから、ゆっくりと行こう、すべてに細心の注意を払おうと決心した。のみならず、自分の信念のなかにすでにはいりこんでいた意見のどれをも、はじめから一挙に投げ捨てようとは思わなかった。それに先だち、まず十分な時間をかけて、学問における「真の方法」を求めることにしたというのである。

▼霊感に満たされて、驚くべき学問の基礎を見いだした

『序説』第二部のはじめには、炉部屋での最初の思索について、以上のように述べられているが、実はこのときの経験がデカルトにとっては異常なまでの興奮を伴うものであったことが、当時の手記からうかがい知られる。そこには「一六一九年一一月一〇日、私は霊感に満たされて、驚くべき学問の基礎を見いだした」とあり、つづいてこの夜、次々に三つの夢を見た次第

が記されている。第一の夢は、街を行くうち突風にまきこまれ、よろめきながら学院の礼拝堂へ辿りつこうと努めたというものである。第二の夢では、はげしい雷鳴に打たれたと思い、驚いて目がさめた。見ると部屋には無数の閃光が飛び交っていた。第三の夢には辞書や詩集が出現するが、詩集のなかからはアウソニウスの二篇の詩が目にとまった。ひとつは「いかなる生の途に従うべきか」という句で始まっており、他は「然りと否」で始まるものであった。

そしてデカルトは、まだ目のさめないうちからすでに、これらの夢の解釈にとりかかってもいた。すなわち、第一の夢は、自分がなにか悪しき霊にとりつかれたことを示し、第二の夢は、真理の霊がくだり来たったことを示している、と解し、第三の夢については、辞書が「すべての知識の集積」を指すのにたいし、詩集のほうは「哲学と知恵とが合体したもの」を指しており、アウソニウスの第一の詩には「道徳神学」、第二の詩には「世俗の学問」が象徴されている、とする。デカルトは目覚めてのちも解釈を続け、はじめの二つの夢が、過去の自分の生活にたいする警告の意味をもち、第三の夢が未来への導きの意味をもつと認め、自身が一種の精神的危機を乗り越えたということを、これらの夢によって保証されたのだと確信した。デカルトはこのことを神に感謝し、マリヤにゆかりのあるイタリアの聖地ロレットに詣でることを誓った、という。

ベークマンの影響

ところで、デカルトがドイツの宿で「驚くべき学問」の基礎を発見し、おおいに興奮するに至った背景として、前年ブレダで知り合ったオランダの自然学者イサク・ベークマンとの関係に少し触れておく必要がある。ベークマンのほうが八歳年長であったが、ブレダの町角に張り出されていた数学の問題をデカルトが難なく解いたのに感銘をうけ、これが縁で二人は親しくなったといわれる。この頃すでにベークマンは、自然研究に数学を用いる仕事を始めていたが、一六一八年末までの二ヵ月間、デカルトと共同研究をすることになり、物体の自由落下の問題や水圧の問題などを取り上げた。そしてこのとき、問題の数学的処理の仕方においてはデカルトがベークマンを助けたが、数学の土台の上に自然学を建てるという構想そのものは、ベークマンがデカルトに教えたのである。

ベークマンは一六一八年末に故郷のミッデルブルクに移るが、デカルトはそのとき、音楽についての数学的研究を『音楽提要』と題する小論文にまとめ、新年の贈物としてベークマンに呈した。年があけてからもしばらくは自分の仕事の進みをベークマンに手紙で報告している。一六一九年三月の手紙では、角の三等分の問題や三次方程式の研究に取り組んでいることを告げ、自分の目ざすところは「連続量たると非連続量たるとを問わずいかなる種類の量についても提起されうる、あらゆる問題を、一般的に解くことができるような、まったく新たな学問」を示すことにある、といっている。そして、これを「ひとりでできる仕事ではない」と断わりながら、「しかし私は、どんなに濃い闇でも打ち払いうると思われる、ある光を、すでに認めているのだ」という。幾何学に代数学の手法をもちこむことによりあらゆる量的関係を一般的に扱いうる、との着想が得られ、のちの『精神指導の規則』に説かれるような「普遍数学」の考えへ新たな一歩が踏み出されたのである。同年四月、オランダを去るに際してベークマンにあてた手紙では、「まことに貴君のみが、私を無為の状態から呼びさまし、私の記憶からほとんど失われかけていた知識を想い起こさせ、まじめな仕事からさまよい出ていた私の精神を、よりよい途へ連れ戻して下さった」といって感謝している。

さてこのように見てくると、上の手記にいう「驚くべき学問」とは、ベークマンへの手紙のなかで「まったく新たな学問」といわれたものが、自然学のみならず形而上学や道徳をも含む、哲学全体にまで拡充された姿にほかならない、といえるであろう。一六一九年一一月一〇日のデカルトは、かかる学問の形成を自己の使命と感じたからこそ、あのように興奮したのであろうと思われる。

▼神秘的象徴主義

しかし、この時期のデカルトが、ルネサンスの自然哲学につながる一種の神秘的象徴主義に共鳴していたことも否定できない。当時ドイツでは、「ばら十字会」と呼ばれる秘密結社の噂でもち切っていた。これは、霊感に基づいて世界の道徳的宗教的改革をはかろうとするものであり、悩める人類のために学問を役立てよとか、万人に無料で医術を施せとかいう綱領を掲げていた。最近の調べによれば、この結社そのものが実在していた形跡はなく、ただおびただしい冊子の類が現われただけであったらしいが、思想としては明らかに、パラケルススやベーメにおける自然の見方をうけている。デカルトはこの会が「新たな知恵」すなわち「いままで発見されたことのない真の学問」を約束していると聞かされて興味をいだき、みずからこの会に近づこうとし、パリでは、デカルトが「ばら十字会」の会員になったとの噂が立ったほどである。デカルト自身は、のちに躍起となってこの噂を打ち消しているが、ともかくもデカルトには、詩的創造のはたらきに魅せられた一時期があったのである。夢についての報告と同じ時分に書かれた断片のなかには、つぎのような言葉が見られる。

「重要な考えが、哲学者よりもむしろ詩人の書いたものの中に多く認められるのは、驚くべきことと見えるであろう。その理由は、詩人たちが霊感に導かれ、想像の力によって書くからである。われわれのなかには学問の種子がある。火打ち石のなかに火があるように。その種子を、哲学者は理性によって引き出すが、詩人は想像力によって点火し、いっそう大きな輝きを与える」。

一六一九年一一月一〇日にデカルトによって直観された「驚くべき学問」、すなわち新たな哲学が、なお多分に神秘的汎神論的性格のものであったことは、かくて明らかである。しかし、このような学問を、つねに論理的数学的考察を介して求める、というのがデカルトの特色であって、続く数ヵ月をデカルトは、学問の方法についての反省に費やすことになるのである。この点は、『序説』第二部の後半にくわしく展開されるであろう。

2　方法の規則

(1)　方法の形成

▽あらゆる事物の認識に至るための真の方法を

諸学の統一という理念をみずからひとりの力でなしうるという確信をもったデカルトがまず手がけるのは、方法の形成ということである。スコラの伝統的学問の不毛をすでに学院時代に痛感し、かつ新たな学問体系の樹立をめざしているデカルトにとって、その学問の統一の形式上の核となるべき方法の確立が、第一の課題となるのである。学問の改革に先だち、「まず十分な時間を費やして、自分の企てる仕事の計画を立て、自分の精神が達しうるあらゆる事物の認識にいたるための、真の方法を求めようとした」とデカルトはいっている。その後、一六二九年になって、新たな哲学と諸学の本格的な構築に取り組むに至るまで、デカルトは、絶えず方法の練磨に意をそそぐことになる。一六二八年頃までに書き綴られたと推定される『精神指導の規則』という未完の手稿は、その全体が方法の研究を主題としたものとなっているのである。

▼三段論法は、知っていることの説明に役立つだけだ

さてその方法の形成は、そのために役立つと思われた論理学、幾何学者の解析および代数の批判的吟味によって準備される。

まず論理学に関しては、デカルトは、ラフレーシ学院で初学年よりアリストテレスの書物およびそれの注釈書を通じて三段論法を学び、さらにその修学期間を通じて、スコラの論争術に基づく教育を受けている。これにたいしデカルトは、三段論法は「ものを学ぶためよりはむしろ、すでに自分が学び知っていることを他人に説明するために、役だつ」ものにすぎないこと、および一般にスコラの論争術は、明証的真理に基づく必然的論証となっていないことを指摘する。詳しくいうと、第一の三段論法そのものに限っていえば、まずその前提となるべき定義がいつも自明であるとは限らない。たとえば、〝人間は理性的動物である〟という命題をとると、〝理性的動物〟という概念規定自体、直接的明証性を伴ったものではない。さらに仮に大前提が真で、推論が正しく結論を導いている場合でも、大前提そのものがすでに事実から帰納された既知の一般命題であって、それからの推論は、デカルトにとって大切な新たな知識の獲得をもたらすものではないのである。さらに第二に、いわゆるスコラの論争術というのは、「テーゼ」「アンチテーゼ」「綜合」という形式の力に従うものであって、議論の根拠となるべき各命題の前提が明証的であるかどうかという吟味を怠っており、したがって推論全体がもっともらしくはあっても、必然的論証となるものではない。

このスコラの論理学に関連してデカルトはルルスの術というものにふれている。これはライムンドゥス・ルルスの案出した一種の概念結合法で、前世紀末よりこれを継承する一連の人びとによって広められていたのであるが、これにデカルトも若い頃接する機会があって、少なからず刺激されていたのである。刺激を受けたというのは、この術が知識の連鎖あるいは統一という理念を含んでいたからであり、この面は、デカルトの後、ライプニッツの概念結合法を軸とする普遍数学構想に受け継がれることになる（なおデカルトが関心をもった「バラ十字会」も知識全体の掌握を唱えていた）。しかし、デカルトの方法意識は、この種の普遍数学の形式主義を受け入れない。みずからの知らない事柄について、「なんの判断もせずに、ただしゃべるというために、役だつ」だけなので困るという。ルルスの術の場合、知識の連鎖という考えは、実際は知識とイメージを結合させて連想を容易ならしめる、有効な記憶術という形をとっており、実際的効用の故にもてはやされていたのである。これはデカルトによれば、身体的記憶すなわち技術に属するものであり、知的記憶すなわち悟性の働きにかかわる、知識の内的依存関係の修得を推し進めるものではなく、さらに知的探求のもうひとつの目的である、判断力の練磨による知恵の獲得にもつながらないのである。

さてこのような伝統的論理学およびルルスの術に対する批判のうちにデカルトの求める方法に対する要請が推察される。それは、一言でいうと、第一に、明証性に基づくものでありかつ発見の論理であること、第二に、判断力をきたえるものであることである。この要請に答えて方法形成に寄与する唯一の領域とデカルトが認めるのが数学である。

▼古代人の解析と近代人の代数

数学の明証的性格は学院時代よりデカルトの念頭にあった。これは当然方法形成上の指針となる。「真理への正道を求める者が、数論や幾何学の論証に等しい確実性を獲得できないいかなる対象にも携わってはならぬ」（『規則』第二）というのがデカルトの学問の方法的探求をつき動かす格率のひとつとなる。

ところで、数学を素材にして方法を形成するにしても、そこに発見的かつ実践的要素を見いだし、一般化するためには、もちろん数学上の各々の手法についての反省が必要である。そこからデカルトが方法の核として着眼したのが「古代人の解析」および「近代人の代数」と呼ばれる手法にみられる「分析」の方法である。

それは求める図形ないし量を既知とみなして、それを限定する条件を求めるというもので、まず古代ギリシアの幾何学者達によって、「証明」を始める前に、与えられた条件を満足する図形を発見する手続きとして活用されていたものである。デカルトは、ディオパントスやパッポスの数学書のなかにそれを認めている。この「解析」の手法が、アラビアより導入された「代数」に応用され、求める解を既知とみなして方程式を組み立てるという操作が、デカルトより少し前の数学者ヴィエタによって発展させられていた。これが「近代人の代数」と呼ばれるものである。デカルトはこの二つのうちに発見の論理を担う方法を認めたわけである（なお、バイエによると、デカルトはユークリッドの原本をたいして重んじなかったという。デカルトが、ユークリッドの綜合的演繹形式を発見の論理と認めなかったことは、おおいに考えられることである)。

しかし、これらの方法には学問的探求の統一形式となるために改良されるべき点が見いだされた。第一に「古代人の解析」は「つねに図形の考察に縛られていて、想像力を大いに疲労させることなしには悟性をはたらかせえない」という。これは、解析の際に、作図あるいは補助線の案出が偶然にまかされていて、答の発見のための統一的方法が樹立されていないことをいっている。「なぜそれはそうなるのか、それはどうして発見されたかということを、精神そのものには充分明瞭に示してくれぬ」(『規則』第四)のである。第二に近代人の代数においては、「ある種の規則とある種の記号とにひどくとらわれていて、それを、精神を育てる学問どころか、むしろ精神を悩ますところの、混乱した不明瞭な技術にしてしまっている」という。当時はカルダーノやヴィエタなどによって量の表現の代数記号化が推し進められていた時代ではあったが、依然として文字と記号がひとつの式に混在したり、次数一致の規則すなわち異なった次数の間の共約を禁じるという規則が守られていた段階にあったのである(つまり、一次数、二次数、三次数はそれぞれ線分、平面、立体に対応すると考えられるので、その間の共約は許されない。この規則の放棄が後に述べる解析幾何学に通じる)。

(2)　方法の規則

▼明証の規則、分析、綜合、枚挙

こうしてこれらの方法論的反省を通じて、デカルトは以下の有名な「方法の四つの規則」を立てる。

「第一は、私が明証的に真であると認めたうえでなくてはいかなるものをも真として受け入れないこと。いいかえれば、注意深く速断と偏見とを避けること。そして、私がそれを疑ういかなる理由ももたないほど、明晰《めいせき》にかつ判明に、私の精神に現われるもの以外の何ものをも、私の判断のうちにとり入れないこと。

第二、私が吟味する問題のおのおのを、できるかぎり多くの、しかもその問題を最もよく解くために必要なだけの数の、小部分に分かつこと。

第三、私の思想を順序に従って導くこと。最も単純で最も認識しやすいものからはじめて、少しずつ、いわば階段を踏んで、最も複雑なものの認識にまでのぼってゆき、かつ自然のままでは前後の順序をもたぬものの間にさえも順序を想定して進むこと。

最後には、何ものも見落すことがなかったと確信しうるほどに、完全な枚挙と、全体にわたる通覧とを、あらゆる場合に行なうこと」。

デカルトの学問の方法とは、以上の通常「明証の規則」「分析」「綜合」「枚挙」と略称される四つの規則に集約される。

▼ 多数の規則でなく四つの規則だけで十分だ

さて、このデカルトの方法の内実そのものにふれた際に、誰しもが始めに受ける印象は、おそらく、方法にかかわる諸学全体の批判的吟味の後に形成され、学問の統一を果たすべき「方法」が、わずか四つの明瞭かつ一見常識的な規則に簡約されているということであろう。これは、ライプニッツの非難するところに従えば、然るべく見、然るべく分析、綜合、枚挙せよということにほかならず、実際規則のどれをとっても、客観的指標を指示するものはなにひとつなく、また洗練された形式の体裁をもとっていない。

しかし、方法のこの特質は、デカルトの知恵と学問の統一という理念の要求に答えるものであることがまず理解されねばならない。『序説』で方法の規則をいよいよ述べるにあたり、デカルトは「論理学を構成するあの多数の規則の代わりに、たとえ一度でもそれからはずれまいという固い不動の決心をさえするならば、次に述べる四つの規則で十分である、と信じた」と断言している。「あらゆる学問は人間的知恵にほかならず、このものはいかに異なった事象に向けられても常に同一であるを失わない」（『規則』第一）というのがデカルトの学問的探求心を根本において動かしている動機であり、またこの学問的探求は「学院のあれやこれやの難問を解くためでなく、生活の一々の状況において悟性が意志になにを選ぶべきかを示すようにするため」（『規則』第一）でなければならないのである。とすれば、その核である精神は、みずからにとって外的な多くの規則に規制されるのをむしろ拒否し、あらゆる対象に対し臨機応変の自発的判断力を最大限わがものにしようとするであろう。「方法」が明瞭かつ常識的な規則の列挙である所以は、このデカルト精神のあり方そのものに由来しているのである。

そのことは第一の明証の規則に限ってもいうことができる。それには「私が明証的に真であると認めたうえでなくてはいかなるものをも真として受け入れないこと」とあり、つづいて、「注意深く速断と偏見とを避けること」とある。これは前半部に力点を置いて読めば、理論の規範を表わし、後半部に力点を置くと道徳的自己改革を意味していると受けとれる。そして、この二つの方向が同じ精神のこととしてひとつの文章にまとめられている。いいかえると、簡潔なひとつの文章が理論と実践の両方に対する方法の見通しを具現しているのである。

▼『精神指導の規則』による補足的説明

もちろん、「方法」全体の内容の理解のためには、四つの規則の文字通りの理解のみならず、方法を裏打ちしているデカルトの熟慮と用意を考慮に入れる必要がある。われわれは、この方法の理解のための補足的説明を『規則』のうちにうかがい知ることができる。それによると、あらゆる真なる知識は、数学の明証的かつ確実な観念に比せられる、アプリオリで、自明かつ他のなにも依存しない「単純な本質」より複合され、これは真理の種子として精神に内在するものとみなされる（『規則』第六）。これはさきの四つの規則に関係づけると第一の明証の規則に照合するもので、これの認識論的背景をなすものである（ただし、ここでは「明証性」がもっぱら数学的明証の観点に立って規定されており、実践および形而上学への方向も内包する『序説』の「明証の規則」に比べてより主知主義的である）。真理に至る方法は、それゆえ認識のアプリオリな次元にかかわる能力、すなわち悟性を軸としてもち、「単純本質」の直接的認知と、その「単純本質」と複合観念の間の帰結関係を追求する働きとの二つによって構成される。前者が「直観」であり後者が「演繹」である（『規則』第三）。

そして、演繹にかんしては単純本質に至る「分析」とそれから出発する「綜合」の二つの手続きを含む。この二つの手続きが方法の規則の第二、第三にあたる。「方法」は、もっぱらこの悟性の二つの働きによって支えられるのであるが、対象の複雑さに応じてなおこの始めと終わりに「枚挙」という手続きが加えられる。それは、第一に帰納とも呼ばれ、分析的演繹ないし直観に至る前の「問題に関係あるすべての事柄の、きわめて細心な正確な探求」であり、第二に長い綜合の際、記憶に助けを借りて、その全系列を完全に把握しようとする働きである（『規則』第七）。始めの分析的枚挙は、対象が複雑な場合、特に重要であって、対象の分割のみならず推論の順序の設定、さらにそれに続く演繹をも用意し、「分析」の手続き全体に及ぶものとなる。「方法の四つの規則」では、枚挙の手続きは綜合的に解されて最後に来るとされているが、第二のいわゆる分析の規則には、「私が吟味する問題のおのおのを、できるかぎり多くの、しかもその問題を最もよく解くために必要なだけの数の、小部分に分かつこと」とあり、これはむしろ分析的枚挙を中心にしていっているのである。

以上の『規則』の説明を補って「方法の規則」を顧みると、全体としてつぎのように単純化することができよう。分析的枚挙—分析的演繹—単純本質の直観—綜合的演繹—綜合的枚挙。

▼「順序」の概念

つぎに、デカルトのこの方法論で注目すべきもうひとつの点として、順序の恣意的設定ということが挙げられる。「私の思想を順序に従って導くこと」というのが第三の規則の実質であったが、これは「自然のままでは前後の順序をもたぬものの間にさえも順序を想定して進むこと」という指示を伴っている。『規則』第五の標題にも「方法全体は、何らかの真理を発見するために、精神の力を向けるべき事物の、順序と配置とに存する」とある。方法の手続きにおいて、直観はさておき、演繹と枚挙は順序を前提にしている。そして、この順序は経験の対象に内在するのでなくして、精神が対象に課するものである。デカルトがその方法論の展開でしばしば引き合いに出す数学的モデルに、連比をなす数の系列すなわち等比級数があるが、それはこのデカルトの方法の方針を反映している。

そして、同時にこれは、個々の問題解決に対してのみならず、学問研究全体を支配する一般方針ともなる。同じ第三の規則で「最も単純で最も認識しやすいものからはじめて、少しずついわば階段を踏んで、最も複雑なものの認識にまでのぼってゆく」といわれている事柄は、個個の問題に実施される綜合的演繹を意味するにとどまらず、学問全体をひとつの連鎖とみなし、単純明白な対象領域より複雑な対象領域へと研究を導こうという見通しをも示しているのである。デカルトは『序説』で四つの規則を列挙した後につぎのようにいう。

「人間の認識の範囲にはいりうるすべての事物は、〔幾何学の推理の長い連鎖と〕同様なしかたで互いにつながっているのであって、それらの事物のうち、真ならぬいかなるものも真として受け入れることなく、かつそれら事物のあるものを他のものから演繹するに必要な順序をつねに守りさえするならば、いかに遠く隔たったものにでもけっきょくは達しうるのであり、いかに隠されたものでもけっきょくは発見しうるのである」。

そして、その際「最も単純で最も認識しやすいものからはじめるべきであることを知っていた」ので、そういう学問として数学よりとりかかったという。

(3) 方法の性格とその思想史的意味

以上われわれはデカルトの方法論の内容を、『規則』より補足的説明を借りつつ、『序説』に従ってまとめてみたのであるが、ここで方法論にみられる、彼の思想上の一般的特質というものを、他の諸思想家達とも関連させつつ取り上げてみよう。

▼本質観念の生得説

方法の規則の第一「明証の規則」は、方法のめざす知識の規範を示すものであるが、そこにデカルトの思想的立場の方向をうかがい知ることができる。その知識の規範をなすものとは、明晰判明かつ不可疑な観念であり、精神に生得であり、精神によって直観されるものであった。

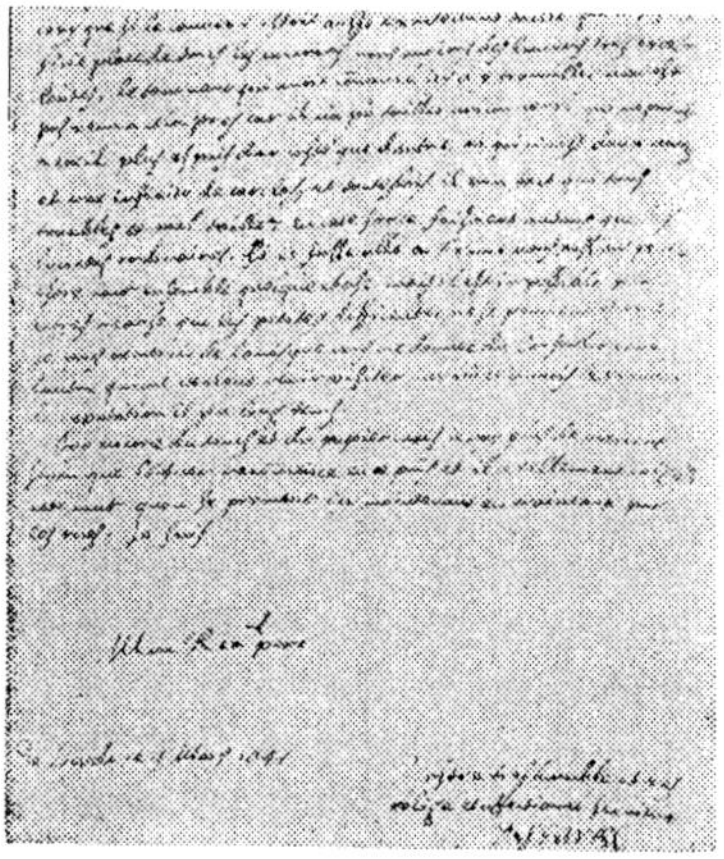

1641年3月4日，メルセンヌあての書簡。『省察』を書き上げた頃で，オランダにいた。末尾に「今夜は雪が降っている。外では道をつかれた足どりで人びとが歩いている」とある。

このことは、認識論にかんしていえば、事物の本質規定が、知覚経験からは独立なアプリオリな性格をもつということ、いいかえれば、理論構築のための概念設定という作業が、経験の与える事象とは独立になされるということを意味する。

　中世以来デカルトに至るまでの、自然を対象とする認識論では、事物の認識は感覚経験を源泉とするというアリストテレス流の経験論が支配的であった。デカルトの考えは、これを根本的にくつがえすものである。デカルトと共に近代科学の方法論の形成に寄与したとされる思想家にフランシス・ベーコンがいるが、彼のいわゆる「帰納的方法」とは、知覚される事象の提示と、その事象にかんして「形相」を追求するという手続きから成っており、事物の本性を知覚経験の内に求める点でなおアリストテレスの認識論を脱しえていない。事物の本質規定を数学的観念に基づくアプリオリな観念で組織するという考えには至っていないのである。

▼分析的方法の発見的な性格

第二にデカルトの方法をその手法の面からみると、分析の手続きが特に強調されているということに留意しなければならない。「分析的」ということは、デカルトにとっては「発見的」ということである。これから新たに学問を開拓しようとする者にとって、方法は、とりわけ発見的ということが要求された。ギリシア人の解析および近代人の代数のなかで特に分析の手法に注目したのも、それが発見的性格を担うからであった。さきに定式化した「方法」の手続きにおいては、単純本質の発見に至る過程全体が「分析」となっている。もちろんこれは「綜合」を従えているが、デカルトの場合、「分析」の過程で「枚挙」「演繹」を徹底させることによって「綜合」の下敷きをも用意し、したがって「分析」によってできるだけ証明全体を包もうとするものであって、この点で「分析」が重要とされるのである。デカルトは『省察』の第二答弁で、「分析」と「綜合」の二つの証明方法を比較して、分析はそれによってあることが方法的に発見された真の道を示し、結果がいかに原因に依存しているかということを会得させるがゆえに、発見的精神を満足させるのは、この方法にほかならないと強調している。

さてデカルトの方法の支柱をなすものとして、上に述べた「本質観念の生得説」および、方法の分析的性格ということが挙げられるとすると、その方法の革新的な所以は、この二つの点をひとつの方法論に結合したところにあると思われる。

▼「分析」の方法の系譜

いわゆる「分析」を学問一般の方法とするという考えそのものは、デカルトに負うものではない。この点、少しくわしくふれてみると、まず遠くプラトンが哲学の方法として取り上げた「仮定の方法」における上昇の手続きは「分析」に相当する。またアリストテレスが『分析論後書』において提示している学問方法論は、知覚経験に与えられた結果より原因へと遡る帰納の手続きと、原因によって結果を説明する手続きとを軸としており、これらは、それぞれ「分析的」「綜合的」性格を含んでいるものである。ただし、アリストテレスにおいては、これらの手続きは彼の存在論に形式的統一を与える形式論理（三段論法）の枠内で論じられており、独立の方法技術とみなされているわけではない。その後古代ギリシアの末期、ガレノスになると、アリストテレスと同様の手続きを「分析」「綜合」と規定し、これに「定義」を加えて、この三つの段階よりなる方法技術論をまとめている。そして、これらのギリシアの成果を引き継ぎ折衷したアラブの注釈家によって、アリストテレスの方法は、「分割」「合成」と同一化され、ついで一二世紀後半以後、アリストテレスの体系が、アラブ世界を介してキリスト教世界に及んでさまざまに展開される中で、上の『分析論後書』の手続きを、はっきり「分割」「合成」の方法とみなして、方法論的に発展させようとする学派が形成される。

その担い手として特に注目されるのは、一三世紀イギリスのグロステストとロジャー・ベーコン、および一四世紀以来の伝統をもつイタリアのパドヴァ派、そのなかでも特にザバレラである。前者においては、まず「分割」の手続きは共通な単純要素への還元とされ、「合成」の手続きが実験による検証と結びつけられている。さらにその手続きのうえで、数学による量的操作が有効であると主張されており、方法の注目すべき技術的な進歩が認められる。また後者においては、方法概念がアリストテレス主義の伝統より離れて、それ自身自立した人為的技術とみなされ、分析における知的吟味の役割が強調される。すなわち「分析」がたんに感覚与件より原因概念を抽出する帰納であるにとどまらず、その原因をなお、人為的名辞を道具とする心的吟味にかけて、より判明なものとするという手続きによって完成されねばならないと考えるのである（なお、このザバレラの方法論は、ガリレオに影響を与えている）。

これらの方法論上の成果が、デカルトが学んだラフレーシ学院の、アリストテレス哲学を中心とした教授内容に反映していたことは想像に難くない。実際デカルトの学院時代に使われたトレトゥスによるアリストテレス論理学注釈本には、学問の方法は「分割」と「合成」の二つの手続きより成るとし、さらに分割を現実存在にかかわる分割と観念的分割とに分け、後者は知的操作による分割であって、論理学と数学を対象領域とするという考え方が示されているのである。このように分析を学問の方法の軸とするという考えそのものは、デカルトに特に帰せられるべきものではなく、デカルトに至る西洋思想において一貫して認められる論証的精神の核心をなす理念であるといわねばならない。

▼方法理論上でのデカルトの独創

デカルトの方法の理論の次元における独創は、第一に、分析の極に、数学的観念と同質で精神に内在する一様な対象領域をすえ、ついで自然学をこれらの同質な観念の系列あるいは連鎖とみなして組織しようとしたところにある。ちなみにアリストテレスの考えに注目すべき技術的な改良を加えたと認められる前述の中世およびルネサンスの思想家においても、その自然概念そのものはアリストテレス哲学の圏内を超えているとはいえない。すなわち「分割」「合成」という方法が適用される諸対象は、「存在の類」という枠によって区分されており、これらの類は、おのおの固有の説明原理をもっていて、相互に共約されることはないという原則に支配されている。それゆえ、「分析」は個々の現象に固有な原因の認識にとどまり、自然現象一般の普遍的原因の追求という段階に至ることはないのである。デカルトは、アリストテレス流の経験論とともに、この「存在の類」という枠をも一挙に取り払い、数学的観念と、その系列の関係そのものを、認識対象全体の実在的基礎としてすえるのである。デカルトは『規則』のなかで方法の主要な秘密を指示する注意として、「すべての事物は何らかの系列に配置せられることができ、しかもそれは、哲学者たちがみずからの範疇によって事物を分ったように事物が或る存在の類に関係させられる限りにおいてでなく、事物の一が他から認識せられうる限りにおいて、なのである」（第六）といっている。

▼意識の優勢

さてデカルトの方法の理論探求の次元における革新性が上述のような点にあるとすると、方法のもうひとつの特性、すなわち方法が実践への方向を含むという点はどのような独自性をもたらすだろうか。方法が分析的であるということは、その実践的性格とどのように関係しあうのだろうか。

この点に立ち入るためには、分析がかかわる対象面より、分析を担う主体に目を向ける必要がある。そのために、明証の規則に戻ってさらに吟味すると、第一に観念の生得説を前提にして理論を追求するということが、それを遂行する主体にかんしては、感覚から知性を峻別する作業となるということが了解される。そして、ここで、デカルトにおいてこの峻別を行使する主体が、知性一般とみられるのでなく〝私の精神〟であると強調されていることに特に注目しなければならない。「私がそれを疑ういかなる理由ももたないほど、明晰にかつ判明に、私の精神に現われるもの以外の何ものをも、私の判断のうちにとり入れないこと」といわれている（傍点筆者）。私が私の精神を説得させうるもの以外なにものも取り入れないこと、いいかえると知識の探求は意識的でなければならないということ、このことがデカルトにとって極めて大切なのである。

分析の方法が発見的であるといわれるとき、それが新たな知識の発見をもたらすということに加えて、推論過程の意識的な納得を伴う方法であるということが含まれている。デカルトは『省察』で、分析的方法に従う場合は、教えられる側も「自ら発見した場合に劣らず、かく証明される事物を完全に理解し我がものとなしうるであろう」（第二答弁）と述べている。つまり対象にたいする分析の徹底は、意識の対象にたいする優勢という事態を導くのである。

▼方法の練習

そして、方法は、さらにたとえば演繹によって辿られた系列の「できるかぎり多くを同時に、判明に把握」(『規則』第十二)すべしと教える。そのためにデカルトは方法の練習ということをしばしば口にし、方法の本領は理論よりも実習にあると主張するのである(メルセンヌあての手紙、一六三七年五月)。このことは、精神が分析によって認知された観念に技術的支配を施し、主体化するということを意味しており、この主体化の作業は当然、方法の力が綜合の段階において実践に及ぶことをねらっている。デカルトにおいて、分析的方法は、精神の観念にたいする技術的操作という作業を介して実践に結びつくのである。

そして、方法のなかに看取されるこの点が、哲学全体のスタイルにおいてデカルト哲学を他の哲学よりきわだたせるもっとも顕著な特質となるのである。デカルト哲学をプラトン主義より分かつのもこの点である。デカルト哲学を、その観念生得説に基づく感覚と知性の峻別という点に限ってみれば、可感界と可想界とを分け、哲学の目的は可想界のイデアの認識にあるとするプラトン主義との親近性は明らかに認められる。しかし、プラトン主義においては、イデアは個別的精神にとって普遍的超越的存在であり、哲学行為の全体が、このイデアの観想(テオリア)に集中し、イデアを技術的に主体化し、実践に結びつけるという方向を元来含んでいない。しばしば言及したアリストテレスについても、この観想が哲学の終局となるという事情においては変わりない。感覚的現象の考察のいきつく先は目的論的観想なのである。

(4) 方法と数学

以上でわれわれは、デカルトの方法の内容と特質を検討したわけであるが、その後のデカルトの思想の形成がいかに方法的になされているかを確認するために、ここで方法と数学の関係に立ち入り、ついで形而上学と自然学との関係についておおまかな見通しを示しておこう。

▼数学は偽りの推理に甘んじない習慣を与える

方法がもっとも端的に成果をもたらすのは数学においてである。デカルトがいわゆる解析幾何学の創始者であることはよく知られている。おそらくわれわれの大半は、デカルトをまず数学者として知り、ついで哲学者であることを教えられるというなじみ方をしたのではなかろうか。デカルト哲学の評価に躊躇するものも、デカルトが偉大な数学者であることを認めるにやぶさかではないだろう。それほど数学者デカルトの偉大さは自明なことであるが、実際にデカルト自身は、数学を他の学問の上に立つ学問であるとも、また同等の学問とも考えていたわけではない。数学的観念は知識の規範とみなされているが、学問分科としての純粋数学自体は、諸学のヒエラルヒーのなかでもっとも単純かつもっとも認識しやすいものとして位置づけられている。それで、方法の修得と実行は、単純な対象領域より複雑な領域へと進むべしという規則の命ずるところに従って、まず数学に対して試みられるのである。

「私がそういう数学の問題から得ようと期待したのは、私の精神がいつも真理を糧《かて》とし、偽りの推理には甘んじないという習慣を得る、ということだけであった」。とデカルトは断わっている。純粋数学は、形而上学や自然学などのより高い学問にかかわるのに先だってなされるべき方法の技術的修得のための観念的領域とみなされているのである。数学はそれゆえ、デカルト哲学にとって、一方では知識の規範として、他方では諸学に役立てられるべき予備学あるいは道具として、二重の役割を果たしているというべきである（この点にも、数学的観念を、可感界の上に立つ可想界の規範として位置づけ、善のイデアに対するモデルとみなすプラトン主義との違いが指摘できる）。

このように数学は、デカルトにとってその知的努力を集中すべきものではなかったにもかかわらず、この分野においてもたらされた成果は、後世の歴史家をして「数学の大革新」と評価せしめるに足るものであり、またデカルトのその後の諸学の展開に対する基本的な下敷きを提供するものとなっている。

▼解析幾何学の創立

この数学の大革新について、『序説』に従うとおよそ三つのことが述べられている。第一に、数学の関係する諸々の学問は「対象において見いだされるさまざまな関係すなわち比例のみを考察するという点において、すべて一致している」から、なんら特殊な質料にかかわりなく、「これらの比例のみを一般的に吟味すること」。そのためにまずよりやさしい対象に比例を想定し、比例関係の認識に習熟し、ついでその比例が、それが適合しうる他のすべての対象にまで適用しうるようにすること。そして、その比例関係の認識の技術として、第二に、それらの比例関係を個々別々に想像の対象として示すことができるように、線分において規定すべきであること。線分以上に単純かつ判明な形象は他にないからである。第三は、それら多くの比例関係を一度に精神に把握させるために、ある種の記号（代数記号）に表現することである。

さてこの三つの点を少し詳しく考察してみると、まず第一の点に、すでにふれた普遍数学の構想が具体的な形でいい表わされていることが了解されるであろう。諸学問は、計量の単純な比例関係を根底にもつ点でひとつであり、個々の科学は、比例関係のさまざまな複合体とみなされ、したがって一連の系列をなすと考えられる。そして、まず数学全体がこの考えのもとに統一される。

デカルト以前の支配的な数学観すなわちプラトンの幾何学主義においては、個々の図形の考察と直観が重きをなし、計量と比例問題という観点よりあらゆる図形を画一的に処理するという考えをもたらしえなかった。この考えがいかに革新的であったかということは、デカルトに前後し、歴史に名をとどめるデザルグ、パスカルといった数学者でさえも、プラトン主義に帰着する形象的幾何学観より脱していないという事実からも察せられるであろう。

さて、この数学観が第二、第三の具体的技術と結びつくことによって、いわゆる解析幾何学が創立されるのである。すなわち代数量（非連続量とも呼ばれる）にかんして、次数一致の規則を破棄してあらゆる次数の数を一元化し、これを幾何学上の基本単位すなわち線分（連続量とも呼ばれる）に符合させることにより座標空間が設定される。こうして、幾何学図形の特質が二つの線分の関係に還元され、これが方程式に記号化されることになり、逆に方程式が座標空間上の図形として表現されることになる。

▼方法の適用としての解析幾何学

ところで、この解析幾何学の考えを方法との関係からみると、どういうことがいえるであろうか。この解析幾何学の成立は、およそ二つの方法的操作に負うていると考えられる。第一に代数量を一元化することと、幾何学量を単純な線分の関係に帰着させること、第二に数学的対象を、単純な比例関係の複合とみなすことである。であるとすると、これが方法の適用そのものにほかならないと認めるのは難しいことではない。方法の核心は、単純要素への分析と、それによる対象の合成という点にあるのだからである。解析幾何学は、方法の端的な展開と認めうるのである。

さらに解析幾何学の成立によって、幾何学の対象が代数式に還元されることになったというのは、数学的思惟に重要な変化をもたらす。すなわち幾何学において図形の条件がすべて方程式に表現されるとなると、方程式の操作は同値関係を維持できるから、必要十分な解を得るためには代数による「解析」で十分であって「証明」（綜合）は不必要になる。つまり代数的操作が問題処理の全体をおおうことになる。そして代数が、もっぱら記号を駆使する悟性の操作であることを考慮に入れると、幾何学を代数学に帰着させることは、悟性の形象に対する自律を意味する。デカルトは、この解析幾何学の構想のおかげで、純粋数学の範囲に含まれるあらゆる問題を容易に解く能力をわがものにし、それにつづく二、三ヵ月のうちに数多くの問題をこなしたという。この解析幾何学は、微積分学の成立を介して、近代における代数学の発展を切り開くものとなるのである（なお、デカルトのこの解析幾何学の具体的展開は『序説』とともに公刊される『幾何学』においてなされている。この書物には他に無限小解析を示唆する考えや諸方程式の分類など重要な試みが見いだされる）。

(5)　方法と形而上学

▼自明でない哲学の第一原理

このように、数学は、方法の修得の場であり、解析幾何学の成立は方法の直接的な適用の結果であるとすると、デカルトがより高い学問とみなしている哲学、すなわち、形而上学および自然学と方法との関係はどうなるであろうか。デカルトにとって数学はもっとも単純かつ容易な学問とみなされているが、哲学については、「成熟した年齢に至ったうえでなければ、……決着をつけようなどと企てるべきでない」と考えられており、このために長い準備期間が置かれるのである。そもそも数学においては、その対象領域が明白であり、さらに解析幾何学の設定によって分析と綜合が可逆的になったために、悟性の単一な展開にまかされることになった。ところが、哲学の含む学問では、対象領域が多元的であり、数学におけるように、いわば一筋縄ではいかないのである。

まず方法と形而上学との関係から問題にすると、数学と異なり、形而上学においては、形而上学の次元に身を置き、その第一原理を認識するということ自体が、困難な大仕事となる。人間は大人である前に子供であって、幼少期以来の感覚的経験に基づく速断と偏見に侵されている。したがって、感覚を超えた形而上学の原理に至るためには、精神を感覚より引き離すという一種の自己改革が他のどの学問においてよりも必要とされる。「注意深く速断と偏見とを避けること」という明証の規則にある文句が、形而上学においては特に重要な意味を帯びてくるのである。さらに形而上学は、人間経験のあらゆる次元を包摂する学問であるから、諸々の次元の経験を枚挙した後、個々の次元に対応する思惟様式の特質を規定して、それを明証性の観点から、ある順序の内に位置づけなければならない。特にデカルトにとっては数学的明証さえも、意識の事実に照らして吟味されなければならない。このように、形而上学にとっては、既存の知識を分断し、意識の事実を吟味するという作業が第一の仕事となるのである。

▽複雑な分析の方法

この作業を方法の観点から見れば、分析の方法の適用にほかならないこと、それも数学と比較して分析的側面が著しく働いていることが理解されるであろう。

方法はまず数学の領域において修得されるのであるが、数学においては、なお二つのこと、すなわち対象領域の自明性と演繹的推論への依存とが前提にされている。形而上学における分析は、数学的明証をも問題にし、演繹、すなわち「思惟の連続的なかつ何処にも中断されていない運動」であり「自己の確実性を或る意味で記憶から借りる」(『規則』第三) 働きをも中断し、意識にたいして現前する明証のみをめざすのである。かくして、分析の方法が形而上学に適用されるとき、それは意識の事実に対する否定的吟味として懐疑という形を取ることになる。

つぎにこれは、形而上学の展開の順序にかんすることであるが、数学的論証においては、先の項がつぎの項と同値関係を維持し、分析と綜合が可逆的であるのにたいして、形而上学においては、後に来るものと先なるものとの関係、あるいは分析と綜合との関係が等価ではありえなくなる。そしてまた、第3章で詳しく述べる「われの存在」「神の存在」および「外界の存在」という形而上学の第一原理は、それぞれが各段階において分析的に解明されるのであって、その展開過程を全体としてみると、唯一の原理に至る分析と、その原理からの綜合的演繹という構造を示してはいないのである。いいかえると、この三つの概念は、後なるものが先なるものを前提にするという順序を維持しており、その限りにおいて綜合的なのであるが、それぞれが異なる次元に属しており、単一な思惟の自同的な展開とはなっていないのである。

(6)　方法と自然学

▼数学と自然学

このような事態、すなわち第一に基本概念が自明でなく、第二に方法の展開が複数の異なる次元にわたるという事態は、自然学においても同様である。

デカルトの自然学は、後に述べるように近代の機械論の礎石をなすものであるが、そのもっとも画期的なる所以は、物理空間を無際限な幾何学空間と同一視し、自然現象一般を延長の観点より扱おうとした点にある。この自然観が、計量と比例関係のみを一般的に研究するという普遍数学の構想の展開であることは、明瞭である。しかしながら、よくいわれるようにデカルトの自然学は、幾何学の一方的な適用であるのではない。数学の対象は、単純かつ容易であるのにたいし、感覚経験に与えられる自然学の対象は、より複合的であると考えられているから、数学より自然学に進むに際して、方法論上の違いはおのずから現われてくる。第一に、数学は、量の比例関係をもっぱら考察の対象とするが、自然学においては、たとえば物性についての根本的な見解が確立されなければならない。デカルトが引き合いに出す例に従っていえば、光学を扱う場合、光がいかに反射し屈折するかという法則の研究から、光の本質とはなにかの探求に向かわねばならない。そして、光の本質は物体一般の本質規定に依存している（『規則』第八）。ところで、空間概念は、幾何学を下敷きにしているにしても、物性あるいは運動といった自然学の基本的概念は、数学上の明白な観念から分析的に引き出しうるものではない。デカルトは、物性を延長をもつ微粒子、運動の本質を位置の変化と規定するのであるが、物性や運動に関係づけられるさまざまな観念のなかから、これらの特性のみを分離・抽出し本質と規定するには、数学における以上に、周到な概念操作が必要とされる。デカルトは、『規則』の第十二で、運動の本質規定に言及して、「いかに愚鈍な人でも、坐っている自分が、立っている時の自分とは何かちがっていることを覚らぬ者はない」けれども、「この時思っていることの中から、位置の本質をとり出して、これを残りのものから分つ事は、すべての人が等しく判明になしうることとはいわれない。またこの場合ただ位置のみが変じたのだと主張することも万人にできるとはいえないのである」といっている。

観察と実験

つぎに、自然学においては、いま述べた理論設定のための概念的分析という知的操作のほかに、それに先だつ感覚経験の観察、および設定された基本概念に基づく理論の検証のための実験という物理的操作が要求される（第5章参照）。この物理的操作は、感覚を介するものであって、分析の知的操作と次元を異にするものである。自然学の方法は、一元的なものとはなりえないのである。この点を方法の観点よりみて、観察が分析的枚挙に相当し、実験は理論からの演繹の終結として綜合の結果とみなすと、自然学では、方法は、分析の始めと綜合の終わりに、それぞれ層を異にする感覚経験にかかわり、分析と綜合は、方法の二つの異なる段階を構成するといえる。いいかえると、ここでは、分析と綜合が、それぞれ、感覚から知性へ、知性から感覚へという、二つの思惟様式の間の反転を含んでいるのである。

以上、われわれは諸学と方法との関係に見通しをつけてみた。なお、道徳との関係が残っているが、もはや立ち入る必要もなく、それが諸学の成果の集約であり、方法のもっとも劇的な行使の場となることが、推察されよう。そこでは、分析と綜合は、それぞれ心身の客観的分析、および心身の統御として体現され、この二つの生の段階が、意志的な方法精神という共通の軸によって統一されるであろう。

このように、デカルトにおいては、思想の形成が方法の結実にほかならないという点が著しくきわだっている。もちろん、このようにデカルトの思想全体を方法という観点より一義的に追求することは、その思想のもつさまざまな機微を逸することにもなろう。しかし、あえてそのように読み込むこと、それがほかならぬ『方法序説』においてデカルトがわれわれに忠告していることなのである。

3　生き方の方針

▽建築中も住める家を用意しなければならない

『方法序説』の第三部では、やはり炉部屋での思索によって大体の見当をつけることのできた、生き方についての方針がくわしく展開される。

ところで『序説』全体の目次がわりにつけられた前文を見ると、「第二部では、著者が求めた方法の含むおもな規則が示されるであろう。第三部では、著者がこの方法からとりだした道徳の規則のいくつかが示されるであろう」とあって、炉部屋におけるデカルトが、学問の方法を四つの規則に定式化したあと、そこからすぐに道徳の規則をも導き出した、という印象を受ける。しかし、このときのデカルトは、学問の方法は定めたものの、哲学そのものの構築にはまだかかっておらず、確かな認識に基づいた決定的な道徳を打ち出すまでには至っていないのである。ただその間にも、実生活の行動においてはいささかの遅滞も許されないから、とりあえず、一時しのぎの生活方針を定めておかねばならない。こういう配慮のもとにデカルトは、暫定的な道徳の規則を、自分のためだけのもの、つまり格率として立てたというわけである。第三部冒頭の一節には、そのことがはっきり断わってある。いわく、

「自分の住む家の建て直しをはじめるに先だっては、それをこわしたり、建築材料や建築家の手配をしたり自分で建築術を学んだり、そのうえもう注意深く設計図が引いてあったりする、というだけでは十分でなく、建築にかかっている間も不自由なく住めるほかの家を用意しなければならないのと同様に、理性が私に対して判断において非決定であれと命ずる間も、私の行動においては非決定の状態にとどまるようなことをなくするため、そしてすでにそのときからやはりできるかぎり幸福に生きうるために、私は暫定的にある道徳の規則を自分のために定めた」。

▼**暫定的道徳の三つの格率**

デカルトはそういう暫定的道徳の規則を三つの格率にまとめて示している。

第一の格率は、「私の国の法律と習慣とに服従し、神の恩寵《おんちょう》により幼時から教えこまれた宗教をしっかりともちつづけ、ほかのすべてのことでは、私が共に生きてゆかねばならぬ人々のうちの最も分別ある人々が、普通に実生活においてとっているところの、最も穏健な、極端からは遠い意見に従って、自分を導く」というものである。

第二の格率は、「私の行動において、できるかぎりしっかりした、またきっぱりした態度をとることであり、いかに疑わしい意見にでも、いったんそれをとると決心した場合は、それがきわめて確実なものである場合と同様に、変わらぬ態度で、それに従いつづけること」である。

第三の格率は、「つねに運命によりもむしろ自己にうちかつことにつとめ、世界の秩序よりはむしろ自分の欲望を変えようとつとめること、そして一般的にいって、われわれが完全に支配しうるものとしてはわれわれの思想しかなく、われわれの外なるものについては、最善の努力をつくしてなおなしとげえぬ事がらはすべて、われわれにとっては、絶対的に不可能である、と信ずる習慣をつけること」である。

最後にこのような道徳から、自分にとっては、いま携わっている仕事、すなわち、「みずからの全生涯をみずからの理性の開発に用い、みずから課した方法により、真理の認識においてできるかぎり前進する」という仕事を続けるのがもっともよい、との結論が出る、という。

デカルトが暫定的道徳の格率として挙げるところは以上のようなものであるが、デカルト自身その内容について、いろいろ注釈を加えている。そこでわれわれも、これら格率のそれぞれにどういう意味がこめられているのか、いくらか立ち入って考えてみることにしたい。

▼法律と習慣に服従し、もっとも穏健な意見に従う

まず第一の格率において、自国の法律や習慣に従うとか、幼時から教えこまれた宗教をもちつづけるとかいわれているのは、いかにも自主性を欠いた、大勢順応的な態度と見えるかもしれない。けれども、こういう方針が、ひろい意味での社会生活を念頭に置いてのものだということを考慮に入れる必要がある。もちろんデカルトは、一国の法律や制度が、宗教をもふくめて、多分に地方的なものの偶然的なものであり、その限りでは相対的なものであることに、早くから気づいていた。すでに第一部のはじめにも、「同じ精神をもつ同じ人間が、幼時からフラ

ンス人またはドイツ人の間で育てられるとき、かりにずっとシナ人や人喰い人種の間で生活してきたとした場合とは、いかに異なった者になるか」を考え、「けっきょくのところ、われわれに確信を与えているものは、確かな認識であるよりもむしろはるかにより多く習慣であり先例であること」を知ったといっている。しかしこのように、伝統的な制度や習慣の地域的相対性をはっきりと認めながらも、デカルトは、それに楯ついて無用の摩擦を起こすよりは、むしろそれを受け入れてわが身の安全を確保しようとするのである。このデカルトの方針が、内乱無政府の状態、なかんずく宗教上の対立に基づく内戦ほど、自由な平静な生活にとって大きな禍いはない、という考えから出ていることは明らかである。

なお、ここでデカルトが、「幼時から教えこまれた宗教」というのは、内面的な信仰のことでなく、制度化された宗教の外面的な儀礼のことを指しているように思われる。ついでにいうと、デカルトは、晩年オランダの神学者から論争を挑まれ、みずからの信仰を問われたときに、「私は私の王の宗教をもっている」、また「私は私の乳母の宗教をもっている」と答えた。「王の宗教」とは、「支配者の宗教がその国の宗教である」という原理を背景にもっており、「乳母の宗教」とは、単純で素朴な宗教を意味していると受け取れる。いずれにしてもデカルトは、学問的知識とはかかわりのない宗教をもちつづけたということになる。

第一の格率の後段には、もっとも分別ある人びとの穏健中庸の意見に従うべきだといわれているが、すぐに続けてデカルトは、「ペルシア人やシナ人の間にも、われわれの間においてと同じく、分別ある人々がたぶんいるであろうけれども、やはり、私が共に生きねばならぬ人々の考えに従って私を律することが最も有益であると思われた」とつけ加えている。ただし、これは、他国の様子にばかり興味をもちすぎて自国のことをおろそかにしてはならぬ、というだけのことであって、伝統主義や復古主義に向かおうとするのではない。

それにまた、分別ある人びとの意見に服するといっても、彼らの意見が真実にはどういうものであるかを知るためには、「彼らが口にするところよりはむしろ彼らが実際に行なうところに注意すべきである」という。これは、ひとつには、自分の信ずるところをすべて正直に口に出そうとする人が少ないからであるが、またひとつには、多くの人びとが自分の信ずるところを自分でも知らないからである。その理由としてデカルトの挙げているのは、「人があることを信ずるときの思考のはたらきは、自分があることを信ずることを知るときの思考のはたらきとは、異なるものであって、前者が後者をともなわぬことはたびたびある」ということである。自分で自分の本心に気づいていない人が多い、というのである。

そしてさらに、世間に受け入れられている意見のうちでは、もっとも穏健なものを選ぶことにするのは、第一に、極端はすべて悪いものであるのがつねだからであり、第二には、まちがうにしても、中庸の意見をとっているほうが、両極端のうちの一方を選んだあとでもう一方をとるべきだったとわかった場合よりも、本当の道からそれることが少なくてすむからである、という。

とくにこのときデカルトは、みずからの自由を失わせるような約束を、極端なことのひとつに数えている。もちろん、宗教上の誓いとか商取引における契約とかが守られねばならないことを、否認しようとするのではない。自分が約束というものを斥けるのは、いったんあることを善しとしたために、のちにそのことがもはや善ではないと判明しても、なおそれに固執しなければならないようなはめに陥るのを避けるためだ、といっている。事の善悪がわかりしだい、すぐにも自分の判断を改める自由を留保しておこう、というわけである。いまでいえば、イデオロギーにとらわれてひとつの党派に身を投じたりはしない、ということにあたるであろう。

▽行動において、きっぱりした態度をとること

第一の格率ではこのように世間のしきたりに従えというデカルトが、第二の格率においては決断し敢行すべしと力説するのである。ここに有名な旅人のたとえがもち出される。すなわち、森のなかへ迷いこんだ旅人は、あちらへ向かったりこちらへ向かったりしてはならず、ましてや坐りこんでしまってはならない。ひとつの方向を定めて、できるだけまっすぐに歩きつづけるべきである。その方向が偶然に選んだものであっても、少々の理由で変えてはならない。こうしてひたすら進んで行けば、ついにはどこかへ出られるはずであり、それが望みの場所とはちがっていても、いつまでも森のなかでうろうろしているよりはましである。

このように、実生活の行動はしばしば猶予を許さぬものであるから、どの道を選んでよいのか見分けがつかない場合でも、どれかをとることを決心しなければならないし、しかもいった

ん決心したうえは、あくまでそれをやりとおさねばならないのだ、という。実行にかんするかぎり、どんなに疑わしい意見をも確実なものと見なすべし、ということ自体は、きわめて真実で確実である、というのである。

そして、続けてデカルトはつぎのようにいっている。

「こういう態度によって私はこのとき以来、かの心弱く動かされやすい人々、すなわちあるときあることを善いと認めてあやふやな態度で実行し、あとになってまたそれを悪かったと思うような人々の、良心をつねに悩ます、後悔や悔恨のすべてから、脱却することができたのであった」。

ところで、第一の格率で控え目な態度をとれといいながら、第二の格率では決然たる態度をとれというのは、矛盾しているように見えるかもしれない。けれども実はそうでない。第一の格率が広義の社会生活についての心得という性格をもつのにたいし、第二の格率は、私人としての生き方にかかわるものなのである。つまり、公私の区別をはっきり認めたうえで、自分の始末は自分でつける、というのであって、こう見れば、第一第二の格率は、互いに矛盾するどころか、むしろあい補うものである、といえよう。

▼獲得しえぬものを未来に望まない

ついで第三の格率については、運命によりも自己にうちかち、世界の秩序よりは自分の欲望を変えることをみずからに課した理由として、デカルトはこういっている。私をしてみずから獲得しえないものを望まぬようにさせ、したがって、私に満足を得させるためには、上のことだけで十分だと思われたからである、と。

　この点にかんしては、すでに第二部のはじめのほうでデカルトがつぎのようにいっていたことが思い合わされる。「われわれはすべて一人前の人間であるまえに子供であったのであり、長い間われわれの自然的欲望と教師とに支配されねばならなかった」。教師のことはしばらく措いて、欲望についていえば、われわれは子供の時分、駄々をこねると乳母にいうことを聞いてもらえ、なんでもほしいものを手に入れることができるものだから、知らず知らずのうちに、世界はわれわれのためにのみ作られているのだ、と思いこんでいた。しかし、大人になって独り立ちするようになれば、辛抱することを学ばなくてはならないのである。第三の格率では、そのための工夫として、「われわれの意志はその本性上、なんらかのしかたで可能なものとして悟性が示すところのもののみを、欲するのであるから」、われわれの外なる善をすべて等しくみずからの支配しえぬものだと見なすべきである、という。こういう見方をとりさえすれば、われわれが生まれつき富や健康にめぐまれぬとしても、そのことを嘆いたり悲しんだりせずにすむであろう。あたかも、われわれが、シナやメキシコの王国を所有せぬからとて残念がらぬのと同様である。こういってデカルトは、「必然を徳に化する」という諺《ことわざ》を引いている。これは、必然の運命を愛する、ということである。さらにいえば、すべてを必然の相のもとに見ることによりみずからの精神の平静を確保する、ということである。

しかし、続けてデカルトは、「あらゆる事物をこういう角度から見ることに慣れるためには、長い間の訓練とたびたびくりかえされる思索とを、必要とすることは私も認める」という。そして、「昔、運命の支配を脱して、苦痛や貧困にもかかわらず、神々とその幸福を競うことのできた哲学者たちの秘訣も、主としてここにあったのだと思う」といっている。このときデカルトが、ストアの賢者、たとえばエピクテートスのとった道を思い浮かべていることはいうまでもない。すなわち、デカルトの見るところによれば、ストアの賢者たちは、運命の必然性を考察し続けて、結局、自分の自由になるものはみずからの思想だけであると悟り、ただこのことによってのみ、他の事物に対するあらゆる執着を脱するとともに、みずからの思想にたいしては絶対的な支配権を行使して、このうえない幸福を享受することができたのである。

▼最善をなすには、よく判断するだけでたりる

最後に、三つの格率から結論として、自分にとっては学問研究に携わるのがもっともよい、と考えたのは、すでにそういう仕事から大きな満足を得ていたからだ、という。

「私は、この方法を用いはじめて以来、つねにこのうえない満足を覚えてきたのであって、この世でこれ以上に快く、また罪のない、満足をもつことはできまい、と思われたほどである。そしてこの方法によって、私には相当大切だと思われるがほかのたいていの人には知られていない、いくつかの真理を、日々発見していったので、そこから得られる満足は私の精神を完全にみたし、ほかのことはすべて、私にはどうでもよいと思われたほどであった」。

真理の発見から得られた喜びが、学問研究に生きるのが最上の生であることの、保証となったというのである。

そして、さらにデカルトは、「先に挙げた三つの格率も、実は、みずからを教育しつづけようとする私の計画にもとづいたものにほかならなかった」といっている。これは、三つの格率が前提となって学問研究への決意を導いたのでなく、むしろ逆に、学問研究への決意そのものが三つの格率を要求したのだ、ということを示している。いいかえれば、はじめにそういう決意がなかったならば上のような格率が採用されることはなかったろう、というのである。この間の事情をデカルトは、三つの格率それぞれについて、つぎのようにいい表わしている。

第一、「神はわれわれの一人一人に、真なるものを偽なるものから分かつある光を与えているのであるから、もし、のちに適当な時期がきたときに、私自身の判断力を用いて他人の意見を吟味することをみずから期していたのでなければ、ほんのしばらくでも他人の意見に満足すべきであるなどと、私は信じなかったであろう」。

第二、「また私は、よりよい意見がでてきた場合、それを見いだす機会を決して失うことはないと期待していたのでなかったならば、それら他人の意見に従って安心して進むなどということはできなかったであろう」。

第三、「もし私のとった途が私の達しうるあらゆる認識を、確かに獲得できる途であるとともに、またそのまま、私の支配しうるあらゆる真実な善を確かに獲得できる途である、と考えたのでなかったならば、私は私の欲望を制限することも、満足を得ることもできなかったであろう」。

ここで注目すべき点は、このときデカルトが、自分のとった途は、理論的真理に達しうる途であるとともに、実践的善に達しうる途でもある、と考えていることである。昔、プラトンは、論理的分析の途をとることによって、まずもろもろのイデアを見いだし、さらにその途をゆきつくすことによって善のイデアを見いだしたが、ここでのデカルトの考え方は、明らかにそれを受け継ぐものである。もっとも、すでに見たようにデカルトは、天国へ入るのに学問のあるなしは関係ないといい、信仰の真理と学問的知識との区別を強調するが、しかしこの世における幸福はやはり、学問の道によって得られると考えているのである。暫定的道徳の格率についての報告をしめくくる、つぎのデカルトの文章は、そのことをはっきり示している。

「実際、われわれの意志は、われわれの悟性が、ものの善悪を示すに応じて、そのものを追求したり避けたりするに向かうのであるから、よく行なうためには、よく判断すればたりるのであり、したがってみずからの最善をなすには、いいかえれば、あらゆる徳を獲得するとともにわれわれの手に入れうるあらゆる他の善をも獲得するには、できるかぎりよく判断するだけでたりるのである」。

これが倫理的主知主義と呼ばれる立場に通じる考えであることはいうまでもない。この点では、デカルトは明白にソクラテス、プラトンの伝統に立っているわけである。

▽三つの格率と決定的道徳

さてこのように見てくれば、デカルトのいう暫定的道徳がいかなる性格のものであったかはもはや明らかだといえるであろう。まずそれは、新たな研究の生む哲学がもっと決定的な道徳を示すまでの一時しのぎの方針という性格をもつ。けれどもそれは、真理の探求を続けてゆくうえでの格率として立てられたのであり、しかもデカルト本人は真理の探求ということを自己の使命と感じているのであるから、少なくともデカルト自身にとっては、単なる暫定的方針などではなくて、まさに決定的な方針だったのである。

ここでいくらかさきまわりをして、デカルトがのちにどのような決定的道徳を与えているかを見ておこう。それはデカルトが晩年にエリザベト王女にあてた手紙のひとつ（一六四五年八月四日）に示されている。まずデカルトは、広義の善を二種に分かち、ひとつは徳や知恵のようにわれわれ自身に依存する善であり、他は名誉や富や健康のように、われわれの意志とは独立な外的善である、とする。もちろん、誰もが追求すべきは第一の善であって、真の満足はそこから得られる。そして続けてデカルトは、つぎに挙げる三つの事柄を守りさえすれば、各人は、他からなにものをも期待することなく、自分自身で満足することができるであろう、という。

その第一は、「人生のあらゆる出来事において、自分のなすべきことやなすべからざることを知るために、自分のなしうるかぎりにおいてもっともよく、自分の精神を用いようと努めること」。

第二、「理性の勧告するところはすべて実行しようとの、確固不動の決心をもち、情念や感覚的欲望によって脇道へそらされないこと」。

第三、「このようにできるかぎり理性に従って振舞う一方、自分の所有せぬあらゆる善は、どれも全く自分の支配力の及ばぬものであると見なし、かつこのような仕方によって、それらの善を決してほしがらない習慣をつけること」。

こういう道徳をデカルトは、もはや自分ひとりのものとしてではなく、万人に通用しうるものとして示しているのであるが、これら三つの条項が、『方法序説』に述べられた三つの格率と関連をもつことも認めている。もちろん第一の項目において、自分の判断を重んずべしといっているのは、第一格率が、世間のしきたりに従えといっていたのにくらべ、強調の置き方がちがってきている、といえる。ついでにいえば、このあとすぐにエリザベト王女にあてた手紙（一六四五年九月一五日）でも、「自分の住んでいる場所の習俗のすべてをも、いちいち吟味して、どの程度にまでそれらに従うべきであるかを知らねばならない」といっている。また第二の項目においては、決意の堅さこそ徳と見なすべきである、といい、徳を多くの種類に分けてそれぞれ違った名称を与えることには反対している。このように晩年になると理性意志の強調ということが目立ってくるが、大筋の考え方においては、決定的道徳も、炉部屋で定められた暫定的道徳と変わっていない、といってよい。生き方の方針にかんするかぎり、デカルトは炉部屋以後、一貫して同じ姿勢をとり続けたといえるのである。

4　九年の準備作業

▼役者であるよりも見物人であろうと努めた

再び『序説』の本文に戻ろう。第二部の末尾、第三部の後半の部分には、ドイツの宿でみずからの使命を自覚し、新たな型の哲学者となろうとしたデカルトが、学問と生活との方針を定めたのちも、すぐには哲学の形成にかからず、なお九年の歳月を準備のために費やした次第が語られる。

まずデカルトは、方法の規則を正確に守ることにより、幾何学と代数学との範囲に含まれるあらゆる問題を容易に解く能力をわがものにした、という。

「これらの学問を吟味するに費やした二、三ヵ月の間に、私は最も単純な最も一般的な問題から手をつけたのだが、私が一つの真理を見いだすと、それが必ずさらに他の数々の真理を見いだすための規則として役だったから、けっきょく私は、以前たいへんむずかしいと思っていた多くの問題を解くことができたばかりでなく、最後には、私がまだ知らなかった問題についてさえも、どういうふうにすれば、どの程度にまで、それらを解くことが可能であるかを、決定しうるように思われたのである」。

そして、これが誇張でないことは、ひとつのことについてはただひとつの真理しかありえず、したがって、その真理を見つけた人は誰でも、そのことについてはもはや人の知りうるかぎりのことを知っているのだ、ということから、納得してもらえるだろうといっている。

こうして数学ではおおいに前進することができ、他の学問の問題にも自分の方法を有効に役立てうるとの期待がもてたが、すぐにすべてに手をつけようとはしなかった。他の学問の原理はすべて哲学に由来するものであるはずであるのに、哲学においては自分はまだなにも確実な真理を見いだしていなかったからだ、という。そこで、なによりもまず哲学において確実な原理をうち立てることに努むべきだと考えたが、それにおいては速断と偏見とをもっとも恐れねばならなかったから、二三歳の若さで着手するのは早すぎると思い、後日を期することにした。そして、それまでの準備作業として、第一に、「私の精神から、これまでに受け入れていたあらゆる誤った意見を根こそぎとり除く」こと、第二に、「多くの経験を集めて、のちに私の推理の材料となるように」すること、第三に、「私がみずからに課した方法をいよいよしっかり身につけるためにそれをたえず用い」ること、これらのことを心がけねばならないと考えた、といっている。

同じドイツの宿で実生活の方針をも定めたデカルトは、これを信仰の真理とあわせて、ひとまず別にしたうえは、自分の意見の残りの部分を投げすてるのに、もはやなんの遠慮もいらぬと考えた。そして、そのためには、これ以上炉部屋にとどまっているよりは、「旅に出て人と交わるほうがよい」と思ったので、その冬のまだ終わりきらぬうちにまた旅に出た。そして、それ以後まる九年の間、「世間で演ぜられるどの芝居においても、役者であるよりも見物人であろうとつとめながら、あちこちめぐり歩いてばかりいた」という。

▼ 哲学形成のための三つの準備作業

そして、この間にデカルトは、上に述べた三つの準備作業を着々と進めていった。すなわち、まず第一に、「一つ一つの事がらについて、その疑わしい点、それがわれわれを誤らせやすい点について、反省することに心を用いつつ、前から私の精神に忍びこんでいたすべての誤謬を、次々に根こそぎにしていった」。ただし、だからといって、いわゆる懐疑論者たち、すなわちただ疑わんがためにのみ疑い、いつでも非決定の態度をよそおう人びとに、倣ったわけではない。「私の計画はまったくその反対であって、みずから確信をかちうること、動きやすい土や砂をかきのけて岩か粘土を見いだすこと、をのみ目ざしていた」という。つまり、すべてを疑うといっても、モンテーニュやシャロンのように判断停止の状態に安住しようとするのではなく、すでに方法の第一の規則でいわれたように、「それを疑ういかなる理由ももたないほど」の明証性に至ろうとするのである。

そして、このときデカルトは、そういう作業を相当うまくやれたといっている。

「自分が吟味している命題の虚偽あるいは不確実性を、弱い推測によってではなく明晰な確実な推理によって、暴露しようとつとめたゆえに、どんなに疑わしい命題に出会っても、そこからつねに、十分に確実ななんらかの結論を、とりだすことができたからである。たとえその結論が、当の命題は確実なものを何も含まない、ということとそのことであったにしても」。

このように自分の意見のうち基礎薄弱と判断したものを破壊するかたわらで、デカルトは第二に、さまざまな観察を行ない多くの実験を蒐集したのであり、これらがその後もっと確実な意見をうち立てるのに役立った、といっている。古い家をとりこわす際、その材料をとっておいて新しい家を建てるときに使うのと同様である、という。

そして、第三にデカルトは、自分に課した方法を用いる練習を続けてもいった、と述べている。自分がおもに心がけたのは、自分の思想を全体として方法の規則に従って導くことであったが、ときどきはいくらかの時間をとっておいて、とくに数学の問題について、あるいはまた数学の問題をほとんど同じ形になおすことのできた他のある種の問題について、方法の練習をした、というのである。数学以外の問題を数学の問題の形になおすには、そういう問題を、自分にはあまり確実でないと思われた他の学問の原理のすべてから分離すればよかったのだ、とつけ加えてもいる。

ところで、デカルトは、炉部屋を出てからの生活を回顧して、つぎのように述懐している。

「このようにして、楽しい罪のない生活を送るというほかになんの仕事もなく、快楽を悪から分かつことに注意はするがしかし閑暇を退屈せずにすごすためにさまざまな罪のない気晴らしにふける人々の生活と、見かけ上は少しも変わらぬ生活をしながら、やはり私は自分の計画をもちつづけ、真理の認識において、かりに私が書物を読んではかりいたり学者をたずねてばかりいたとした場合よりも、おそらくはいっそう多く前進することができたのである」。

▼旅のデカルト

そこで、もう一度もとへ戻って、旅に出てからのデカルトの足どりを、こんどは伝記について辿ってみよう。

バイエの『デカルト伝』によれば、一六二〇年はじめノイブルク公国の宿舎を出たデカルトは、ふたたびバヴァリア公の軍隊と合してシュワーベン地方に赴き、ウルムの町で一夏を過ごし、この間に有名な数学者ファウルハーベルと交わりをもったとされる。そして、一〇月には、やはりバヴァリア公の軍に従い、オーストリアを経てボヘミアに向かい、三十年戦争における最初の大会戦、プラーハ近郊の「白山の戦い」（一一月八日）にも加わったとされている。この会戦は旧教軍の勝利に終わり、新教徒に擁せられてボヘミア王となっていたファルツ選帝侯フリードリッヒ五世は、「冬王」の汚名をうけてオランダのハーグに逃がれる（このフリードリッヒ五世の長女が、のちにデカルトの最愛の弟子となるエリザベト王女である）。デカルトはこのあとしばらくプラーハにとどまり、バヴァリア公の部隊とともに冬を越すが、翌一六二一年三月末、こんどはビュコワ伯の旗下に入ってハンガリアに転戦する。しかし、同年七月、ノイハウゼルの包囲戦でビュコワ伯が討死するなどのことがあって、デカルトは軍務に携わるのをうとましく思うようになり、まだ戦乱の及んでいない北ドイツへの気ままな旅に出た、とされている。

こうしてバイエの記述によれば、デカルトが軍職を離れるのは一六二一年の夏ということになるが、実はこの前後の消息については不確実な点が多いのであって、いまではむしろデカルトは、炉部屋を出立した一六二〇年はじめには、すでに軍籍を脱していたのであろうと見られている。しかしまた、デカルトが晩年、三十年戦争の終結を祝って作った詩劇『平和の誕生』のなかで、逃亡兵や傷ついた兵士、土地を失った農民たちに、戦争の悲惨をありありと語らせているのは、やはりこの時期の経験に基づくものといえるであろう。

北方へ旅立ってからのデカルトは、バイエの記述によれば、シレジア、ポーランド辺境、ポメラニア、バルト海沿岸、ブランデンブルクと東ヨーロッパの地方を一巡してホルスタインに下り、フリジアを経てオランダへ戻り、ここで一冬を過ごしてから、フランスへ帰ったとされているが、この旅の行程についても、確かなことはなにもわかっていない。デカルトが船頭たちの奸計を見破り、剣を抜いて恐れ入らせたという話も、バイエはこの旅でのこととしているが、さきに指摘しておいたとおり、そういう事件が起こったのは一六一九年のはじめごろだったかもしれないのである。

▽イタリア旅行

フランスへ帰ったデカルトは、ブルターニュ州のレンヌに直行し、一六二二年三月半ばには父の家に着いている。このとき父から、母方の遺産としてペロンの領地をはじめ、いくつかの封土、小作地、家屋をもらいうけた。これらはいずれもポアトゥ州にあったので、五月からしばらく検分のためポアトゥ州に滞在するが、夏の終りには父のもとに戻り、この年の冬はブルターニュ州で過ごしている。翌年二月パリに出かけ、二ヵ月あまり上流社会の人びとと交わるが、五月にはまたブルターニュ州に戻る。六月から七月にかけてはポアトゥ州に赴き、父の同意もとりつけて、ペロンの土地を金に換えたりしている。父のほうはデカルトがその金でなにか公職につくための運動をするものと期待したのであろう。しかし、デカルトは、八月にいったんパリへ出ると、九月にはすぐイタリアへ旅立つのである。出発に先立って家族にあてた手紙のなかで、アルプスの南への旅は、自分がいろんなことを学び、世間についての経験を積むのにおおいに役立つであろう、と述べている。

一六二三年九月にパリを出立したデカルトは、南ドイツからスイスへ入り、チロル地方を経てイタリアに行き、あちらこちらめぐり歩いた。一六二四年のキリスト昇天祭の日にはヴェネツィアにいて総督がアドリア湾へ金の盃を投ずるのを見、ついで念願のロレット詣でを果たし、同年末にはローマに着いて、法王ウルバヌス八世の手でとり行なわれた聖年の大祭にも列した、とバイエはするが、確かなことはわかっていない。ローマから帰る途中しばらくトスカナ地方に足をとめたらしいが、当時フィレンツェにいたガリレイを訪れることはしなかった。自分はガリレイとは一度も会ったことがなく、どんな交渉をもったこともない、とのちに友人に打ち明けている。一六二五年の五月半ばにはトリノに達し、スサの峠を越えたのち、アルプスの高さを調べるためにサヴォアのほうへ道を転じる。五月ごろアルプスの山中で、雲が太陽に熱せられて重くなり、大気のわずかな動きによっても大音響とともになだれ落ちるのを観察し、雷が鳴るのは雲に同様の現象が生じるからであること、また冬には夏よりも雷の鳴るのがまれである理由もわかった、と『気象学』にあるのは、このときの経験を記録したものと推定される。

▼簡素な生活

イタリア旅行を終えたデカルトは、リヨンを経由してポアトゥ州に着き、しばらくここに逗留するが、六月の末にはパリに出て、二年半の間、研究にうちこむことになる。ただし、この間も、全くパリから離れなかったのではなく、時おりは郷里へ往き来もしている。

一六二五年帰国して早々、故郷のシャテルローで裁判所長になるよう求められたが、代価が高すぎることを口実に断わり、さらに友人から、それだけの金を利息なしで貸してやろうとの申し出をうけるが、これまで剣をとることとしか練習してこなかったから、もはや法官の職につくには遅すぎるといって辞退している。

同じく一六二五年ごろ、近親の者から結婚をすすめられたこともある。そのころデカルトが思いを寄せた相手で、のちにデュ・ロゼー夫人として知られた女性の打ち明け話がいくつか伝えられている。ある日デカルトが彼女を伴ってパリから帰る途上、オルレアン街道で恋がたきに打ってかかられたが、すぐに相手の剣を叩き落とし、それを返してやりながら、「いま私が命を賭けたこの女性に、君は命を助けてもらったお礼をいうがよい」と告げたという。しかし、彼女は、デカルトにとっては哲学のほうが彼女よりもずっと大きな魅力をもっていたことをも告白している。デカルトにとって彼女はけっして不器量とは見えなかったのに、デカルトは、彼女にお世辞をいう代わりに、「真理の美にまさる美はない」と話したというのである。また彼女がポアッソン神父に語ったところによれば、デカルトはある日、陽気な連中の集まりで話題が男女の交際に及んだとき、かくも多くの人びとが期待を裏切られたのを知って驚いた、といったあとで、つぎのように断言した、「私はまだ女に心を奪われたことがなく、かつみずからの経験に基づいて、美女と良書と完全な説教者とを、この世でもっとも発見しがたいものに数えることにしているのだ」と。

パリでははじめ父の友人ル・ヴァスールの家に居を定めた。ここでデカルトはきわめて簡素な生活を送った。「彼はもっとも単純な、風変りや気取った様子からはこのうえなくかけ離れた生活様式を採用した。彼の住まいでは、一見したところ、すべてが平凡であった。家具やテーブルはいつもきちんと片づいていたが、余計な物はひとつもなかった」と、バイエにはある。ポール・ヴァレリが有名な『テスト氏との一夜』のなかで、テスト氏の部屋の様子をのべて、家具などすべてが抽象的で任意のものという印象を与える、といっているのは、上のくだりを典拠としたものであろう。バイエは続けて、「彼は少数の召使にかしづかれ、供をつれずに街を歩いた。当時の流行に従って緑色の簡素なタフタ織の衣服をまとい、羽飾りと懸章と剣とを、身分のしるしとしてのみ、身につけていた。当時は、貴族たる者がこれらをつけずにいることは許されなかったからである」と記している。

この間にデカルトは、パリの南方フォンテーヌブローにあったフランスの宮廷を見に行き、一六二六年には宿の主人ル・ヴァスールとともに田舎を旅行したのち、しばらくフォブール・サンジェルマン地区に移り住んだりするが、やがてまたル・ヴァスールの家に戻っている。そして、このころにはもう、フランシスコ教団の学僧でデカルトにとってはラフレーシ学院の先輩にあたる、メルセンヌ神父の開いていたサロンに出入りするようになっていたらしい。数学者のミドルジュやモランと交わり、ミドルジュとは光学の実験に携わって、レンズ磨きの職人フェリエにいろいろな曲面のレンズを削らせたりしている。メルセンヌのいわゆる「新しいアルキメデスたち」の仲間に数えられるようになったのである。

▼哲学の形成

こうして名を知られ訪問客が押しかけるようになったので、パリ郊外の一画に身を隠したが、数週間後には見つけ出される。隠れ家を突きとめたル・ヴァスールが鍵穴から様子をうかがったところ、窓をあけ放しカーテンをかかげたまま、昼近くまで寝床のなかで考えごとにふけっており、時に半身を起こしてなにかを書きつけてはまた横になるというふうであった、という。

ところで、これも有名な挿話であるが、パリ滞在の終りのころにデカルトは、法王使節の邸で開かれた会合に出て、シャンドゥーという一学者の講演を聞いた。それは従来の哲学教授法をきびしく批判し、みずから樹立したと称する新たな哲学を説いたものであったらしい。座につらなった人びとはおおいに感服して称賛したが、ひとりデカルトだけは心を動かされた気配がない。それに気づいた枢機卿ピエル・ド・ベリュルが意見を求めると、デカルトは論者の雄弁をほめ、スコラ哲学にたいする批評にも賛成したが、論者自身の哲学もやはり蓋然的議論の域を脱していないことを明らかにした。そしてさらに、みずから数々の蓋然的議論をあやつり、虚偽を真理といいくるめたり真理を虚偽と思わせたりして、いかに人びとが蓋然性（まことらしさ）のとりこになりやすいかを思い知らせたうえで、こういうわなにはまらぬためには、自分の選んだ方法の規則を正確に守るのが最上の策であるとして、その一端を披瀝した。ベリュルは深い感銘をうけ、後日あらためてデカルトを呼んで、早く真の哲学を完成し世を裨益するよう激励したという。バイエはこの挿話を一六二八年一一月のこととしているが、いろんな事情を考え合わせると、法王使節の邸で会合が行なわれたのは、バイエの記述より一年早い、一六二七年の一一月であったろう、と推定される。

いずれにしても、こういうことがあったため、デカルトは、自分の哲学を土台から築き上げることにもう取りかからねばならぬと感じ、一六二七年の末から翌年はじめにかけての数ヵ月、知人の多いパリを避けて、ブルターニュ州の田舎に引きこもる。学問一般の方法にかんする未完の論文『精神指導の規則』が現在見られるような形にまとめられたのはこの時期である。しかし、この仕事は途中で打ち切られ、一六二八年秋、すなわち炉部屋での転機から九年ののちに、デカルトはいよいよ哲学そのものの形成に専念しようと思い立ち、フランスを離れてオランダに隠れ住むことになるのである。

▼遍歴時代における思想の動き

炉部屋を出てから九年間のデカルトの足どりは、ほぼ以上のようなものであった。ではその間に、デカルトの思想そのものは、どういう動きを示していたのか。つぎにこの点をいくらか跡づけておかねばならない。

すでに見たように、一六一九年一一月一〇日、炉部屋においてみずからの使命を自覚した当時のデカルトはなお、ルネサンス期の自然哲学の流れを汲む神秘的象徴主義に共鳴していた。けれども、その後の数ヵ月で学問の方法と生活方針とを定め、旅に出立したデカルトは、続く九年の遍歴時代に、しだいにそういう神秘的思弁的自然解釈を脱却し、プラトン主義の方向に向かっていったと認められる。

めぼしい点を拾いあげると、この時期のはじめに書かれた手記のなかに、「一六二〇年十一月十一日、私は驚くべき発明の基礎を理解しはじめた」という句が見える。これが、諸家の推測するように、望遠鏡の原理を数学的に解明する自信を得たことを述べたものだとすれば、デカルトは一六二〇年の秋ごろから幾何光学の研究に手をつけはじめたのだ、ということになる。もっとも、デカルトが、幾何光学の問題と正面から取り組み、光の屈折についていわゆる「正弦の法則」を突きとめるのは、一六二六、七年のパリ滞在期においてであるが、もうそのころにはケプラーの『屈折光学』を読んでいたろうと考えられる。のちに、「ケプラーは光学における私の第一の師であった」といっている。

さて、この時期のデカルトがまず光学の研究に向かい、ケプラーを師としたということは、数学的知性の直観により宇宙の真を全面的にとらえうるとする、プラトン主義の考え方に近づいたことを示す、といってよい。『精神指導の規則』の冒頭で、諸学の統一を強調し、「良識」すなわち「普遍的知恵」を、太陽の光にたとえているのを見ても、デカルトがプラトン主義に立脚するに至ったことは明らかである。

やはり遍歴のはじめころ、一六二三年前後に書かれたらしい断片のひとつに、『良識の研究』と題するものがあり、バイエの報ずるところによれば、デカルトはそのなかで、もろもろの学問を三つに大別していたという。第一は「基本的学問」であって、もっとも単純な原理から演繹されるものであり、第二は「経験的学問」であって、経験や観察の助けを借りる。第三は「人文的学問」であって、これは真理の認識のほかに、練習によって得られた習慣を必要とする。それぞれ、数学、自然学、人文学にあたる、と解してよいであろう。ところが『精神指導の規則』を見ると、第一巻で、数学と自然学との統一というべき「普遍数学」の方法を学問一般の方法として取り上げ、第二巻では数学の問題の解法、第三巻では自然学の問題の解法を考える、という構想になっており、人文学は、考察の対象からはずされている。これも、デカルトが徹底した主知主義の見地に達したことを表わしているといえるであろう。

精神と身体の区別

さらにつけ加えると、デカルトはこのとき、「一生に一度はなさねばならぬ」企てとして、人間認識の及びうる範囲の確定という、認識論的考察を試みてもいる。まず「認識するわれわれ」については、われわれの認識能力のうち、真理をとらえうるのは知性のみであり、感覚や想像力は、知性的認識を助けるとともに妨げるものである、との指摘をする。ついで「認識さるべき事物」については、あらゆる真理が、もろもろの単純本質と、これら本質の必然的結合および偶然的結合とから成っていることを示す。そして、この単純本質は、精神的なもの、物体的なもの、両者に共通なもの、のいずれかにかかわる、といったうえで、「私は理解する、ゆえに私は身体から区別された精神をもつ」とか「私は存在する、ゆえに神は存在する」とかいう命題を、単純本質の必然的結合の例として挙げている。のちにデカルトの形而上学の柱となる主張のいくつかが、『精神指導の規則』には、こういう仕方で導入されているのである。

メルセンヌ。オランダ在住時のデカルトは彼にのみ居所を知らせた。

この点にかんしては、パリ滞在期の友人たち、メルセンヌやシロンのような人が、自由思想家の無神論や唯物論に反発して神の存在と精神の不死とを証明することに熱中していたという事情が背景にあり、デカルトも同じ動機から上のような問題を取り上げるに至ったものと推測される。けれども、デカルト自身にとっては、「精神と身体との区別」の主張が、メルセンヌやシロンにおけるよりもはるかに大きな意味をもっていた。すなわち、デカルトの場合には、精神と身体との間に一線を画することは、一方で、自己を知り神を知ろうとすることであるとともに、他方では、物体世界全体についての客観的認識を可能にすることでもあった。つまり精神の形而上学が、敬虔への道に合致するのみならず、数学的自然学の確実性を理由づけるにも役立つ、と考えられているのである。

パリ在住の終りごろ、ベリュル枢機卿の知遇を得、新たな哲学の形成に取りかかるよう励まされたとき、デカルトは、形而上学と自然学とのつながりについて、すでに上のような見通しをつけていたと思われる。このあと彼は、いったん田舎に引きこもり、それまで進めてきた方法論と認識論との吟味の結果を『精神指導の規則』としてまとめることに努めるが、結局これを未完のままに打ち捨てて、なによりもまず形而上学そのものの原理を確立することに向かい、それがオランダへ移ってのちの最初の仕事となるのである。

▼隠棲の地、オランダ

一六二八年秋オランダへ移ったデカルトは、一〇月はじめにドルトレヒトでベークマンと再会するが、やがてフリジア州の北部にあるフラネーケルという町に住みついた。最初の九ヵ月は形而上学に没頭し、どうすれば形而上学的真理を幾何学の証明よりもなお明白に証明できるかを見いだしたので、「形而上学の小論文」を草することにかかった、とのちに友人に報告している。しかしほどなく、一六二九年春にローマの近傍で観察された幻日（空気中の氷片による光の屈折反射のため幻の太陽がいくつも見える現象）についての記録を示されて、彼の関心は気象学に向かう。そして、一六二九年秋にアムステルダムに居を移してからは、自然学全体の基礎を考えることに進み、いわゆる永遠真理をも神の意志的創造の所産と解する見地に立って、自然学の体系をうちたてようとする。一六三二年六月から翌年末まではデヴェンテルに滞在するが、一六三三年の夏ごろにはもう、『世界論』という論文を書きあげている。

17世紀のアムステルダムの街頭風景

このようにして、オランダへ移って以来四年足らずでデカルトはみずからの哲学の大綱をつくりあげることができた。その内容のあらましが『序説』第四部、第五部に示されるのである。

ところで、デカルトは隠棲の地としてオランダを選んだ理由について、ひとつには、オランダの空気が健康によいこと、またひとつには、治安がしっかりしていて、自由と閑暇とを十分に享受できることを挙げている。パリ滞在期に親しくなった文学者、ゲーズ・ド・バルザックにあてた手紙では、それらの点を強調して、「これほど全き自由を味わいうる国、これほど安らかに眠りうる国、われらを守るためにいつも戦闘態勢にある軍隊があり、毒殺や裏切りや中傷はどこよりもまれで、われらの祖先の無邪気さの名残りをこれほど多くとどめている国はほかにあろうか」とまでいっている。『序説』第三部の末尾にも、オランダに転住した当初の生活が、つぎのように回想されている。

「ここで私は、他人のことに興味をもつよりは自分の仕事に熱心な、きわめて活動的な多数の人々の群の中で、最も人口の多い町で得られる生活の便宜を何一つ欠くことなく、しかも最も遠い荒野にいると同様な、孤独な隠れた生活を送ることができたのである」。

第3章　形而上学
――『方法序説』第四部

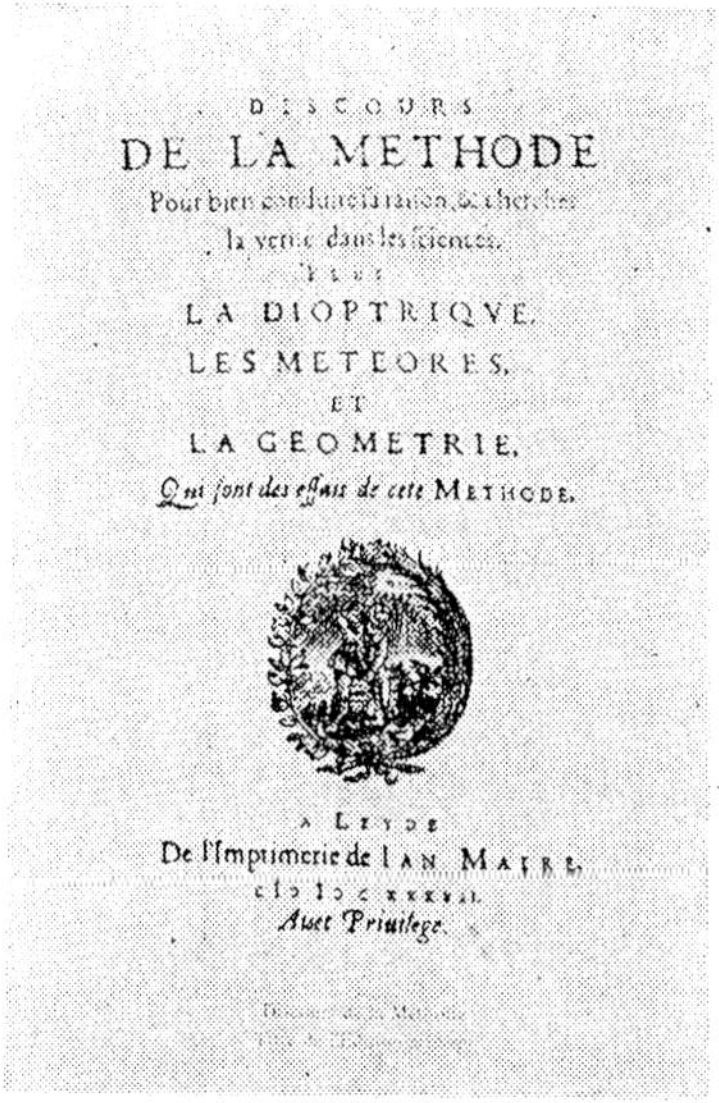
DISCOURS
DE LA METHODE
Pour bien conduire sa raison, & chercher
la verité dans les sciences.
PLUS
LA DIOPTRIQUE.
LES METEORES.
ET
LA GEOMETRIE.
Qui sont des essais de cete METHODE.

A LEYDE
De l'Imprimerie de IAN MAIRE.
CIↃ IↃ C XXXVII.
Avec Privilege.

『方法序説』初版の扉。公けにされた最初の著書だが，デカルトの希望で著者名は記されなかった。

1 私は考える、ゆえに私はある

新しい哲学の基礎

一六二八年の秋以来、デカルトはパリの喧噪《けんそう》を離れてオランダのアムステルダムに移り住み、自由で静かな日々を過ごしていた。彼はことのほかこの北の町が気に入っていた。昼間は気が向けば書斎を出て運河沿いの並木道を寛《くつろ》いで散歩したり、活気あふれる港を見たりして目を休め、夜は一〇時間ぐっすり眠った。

この頃、デカルトの頭のなかにはひとつの重要な学問上の問題が去来していた。それは、新しい哲学の基礎を確立することであった。前章で述べられたように、彼は九年来、諸国を遍歴してこの問題を温めてきたわけだが、経験を積んで成熟した年齢に達した今や、この積年の課題に取り組むことを妨げるものはもはやなにもなかった。彼はオランダ転住後、時を移さず哲学の基礎を考え始め、「この国に来て最初の九ヶ月間はもっぱらそのことに携わった」という。その時の成果のあらましが『方法序説』第四部全体に収められているのである。

神と人間精神との存在の証明

ところで、哲学の基礎とは、デカルトの場合、形而上学《けいじじょうがく》と呼ばれるものにほかならない。形而上学とは古くからある伝統的な学問であって、生成消滅する事物ではなく永遠不変の存在を取り扱うものである。たとえば、絶対に確実な真理はあるか、神は存在するかといった存在論や、人間精神の本質はなにか、そしてそれはなにを知りうるかといった認識論は、昔から形而上学の主要なテーマであった。これらはみな哲学の営みの根本にかかわってくる原理的問題であり、この意味で形而上学は哲学の基礎、あるいは「哲学の第一部門」といわれるのである。デカルトは哲学を一本の樹に喩《たと》えている。その幹は自然学、その枝は医学と機械学と道徳である。そして、形而上学は哲学の樹全体を支える根にほかならない。このように形而上学は哲学のもっとも重要な基礎部門であってみれば、新しい学問を始めようとするデカルトがとりわけ形而上学の問題を熟慮するのに多くの春秋を要したことはむしろ当然といえよう。

それでは、デカルトの形而上学においては、一体どういうことが問題になるのであろうか。『方法序説』の序文には、つぎのような簡明な説明がある。

「第四部では、著者が神と人間精神との存在を証明するに用いた諸理由、すなわち著者作の形而上学の基礎、が示されるであろう」。

つまり、神と人間精神、これが彼の形而上学の中心問題である。神と精神とを知ることは中世のアウグスティヌス以来の哲学の重要な課題であるが、デカルトはこの二つのものの存在を「幾何学の証明よりもさらに明証的に証明」しようとするのである。これは現代のわれわれには奇異に思われることかも知れないが、デカルトは形而上学的真理が数学的真理を越えた絶対的確実性をもつと考えているのである。彼の構想する新学問はこういう確実性の上に基礎づけられるべきものであった。そのためにデカルトはまずすべてのものを疑うことから出発する。そして、どうしても疑うことのできない確実な真理として、精神としての「われ」の存在を発見する。ついで、そこから神の存在を導き出す。最後に、この神の存在を論拠として、精神とは次元の異なる物質的事物の存在を証明する。デカルトの形而上学では、およそこのような事柄が、深い認識論的反省の下に取り扱われるのである。

われわれは、これから『方法序説』第四部の内容に立ち入ってデカルトの形而上学を具体的に見てゆくわけだが、ここでひとつの注意をしておきたい。それは、第四部はいわば一般向きにわかりやすく書かれているために、細かい議論は省かれているということである。彼の形而上学の全容を細部にわたって知るためには、『方法序説』から四年後の『省察』の出版をまたねばならない。後者は、議論の円熟度、完成度からいって前者をしのぐ最高のものである。なお、形而上学を収めたデカルトの著作は、このほかに『哲学原理』第一部、『真理の探求』がある。『哲学原理』は教科書風に論旨を整理してあるので理解に便利であり、『真理の探求』の方は未完だが対話体の形式がとられているので近づきやすい。あわせて参照すべきである。本章でも引用は原則として『方法序説』から取ることにするが、理解の助けになると思われる場合には、それら他の著作によって適宜おぎなうことにする。

方法的懐疑

デカルトは、これから述べようとする形而上学が必ずしもすべての人にとって興味深いものではないことを知っていた。なぜなら、それは抽象的で、普通の考えからかけ離れているからである。たとえば、神の存在についての議論は簡単すぎるので一般の人びとにはわかりにくいことをデカルト自身認めている。また、彼の懐疑論は誇張されたところがあって常識とはほど遠いことも承知している。だが、彼が選んだ哲学の基礎が十分しっかりしたものであるかどうかを読者に判断してもらうために、彼はあえて形而上学を語ろうとするのである。

デカルトはまずすべてを疑うことから始める。そして「ほんのわずかの疑いでもかけうるものはすべて、絶対に偽なるものとして投げすて、そうしたうえで、まったく疑いえぬ何ものかが、私の信念のうちに残らぬかどうか、を見る」のである。デカルトは新しい哲学の基礎を確立しようとしている。その基礎は確実な原理の上に成り立っていなければならない。懐疑の目的は、古代の懐疑論のように不確実さに甘んじることではなくその確実な原理を見いだすことである。疑いを重ねていって、最後にどうしても疑いきれないものが残れば、それこそ確実なものといえるであろう。だが、日常生活においてわれわれはそれほどの確実性を要求せず、むしろ多少疑わしくとも大体においてよければそれで済むことが多いし、またそうしなければならない場合がある。だから、この懐疑を実生活の行為に当てはめることはできない。だが、実生活の行為については暫定的道徳がすでに与えられているので、今は問題とする必要はない。

ここでは行為することよりも真理を認識することが問題なのであって、懐疑は後者の局面のみにかかわるのである。デカルトの懐疑は、真理認識の次元で確実不可疑の原理を獲得するべく周到に準備された方策である。この意味でそれはしばしば〝方法的懐疑〟とよばれる。

▼感覚的知識も数学的知識も疑わしい

それでは、デカルトはなにをどのように疑ったか。われわれの知識は感覚から得たものと数学的論証によって得たものから成り立っている。この二つの知識の土台を切り崩せば、その上に立っているすべてのものは疑わしいことになるであろう。そこでまず感覚的知識の真理性が懐疑にかけられる。感覚はたいていの場合、ものごとのありのままの姿を伝える。たとえば、目の前に見えているバラの花の存在を疑うことはできないと思われる。だが、時としてわれわれは錯覚に陥ることがある。バラだと思ったものが、よく見ると本当はカーネーションだったりする。

「かくて、われわれの感覚がわれわれをときには欺くゆえに、私は、感覚がわれわれの心に描かせるようなものは何ものも存在しない、と想定しようとした」。

これは非常に極端な考え方かも知れない。少しぐらい疑わしいからといって感覚の伝えるものをすべて偽と見なすには及ばない、というのがわれわれの日常生活にむすびついた常識である。だが、デカルトが求めているのは一点のくもりもない不可疑の真理である。少しでも疑いの余地があれば、それはもう真理の資格をまったく失う。「ただの一度でもわれわれを欺いたことのあるものには、けっして全幅の信頼を寄せない」のがデカルトのやり方なのである。こうして、感覚的知識は確実な原理たりえないことになった。

つぎに、数学的論証はどうか。感覚とちがって数学は理性に基づく確実な学問だと思われる。その真理性がいかにして疑えるか。たとえば、2＋3＝5という単純な演算がどうして疑えるか。これにたいしてデカルトはつぎのようにいう。

「幾何学の最も単純な問題についてさえ、推理をまちがえて誤謬推理をおかす人々がいるのだから、私もまた他のだれとも同じく誤りうると判断して、私が以前には明らかな論証と考えていたあらゆる推理を偽なるものとして投げすてた」。

つまり、われわれは時として、うっかり計算まちがいをすることがある。2＋3＝6と誤認することはありえる。そのかぎりでは、数学的論証から得た知識も疑わしいのである。

このように、数学的論証の手続きは誤りうるとしても、数学的真理そのものは必然的に正しいといえるかもしれない。デカルトはその真理を作ったのは神だと考えているが、その神が邪悪な神である場合には真理そのものも疑わしいことになる。神の誠実さというものがないかぎり、数学といえども確実な真なる学問とはいえないのである。だが、こうした細かい点は『方法序説』では文面にあらわれていない。

こうして、感覚的知識も数学的知識も疑わしいことになった今、すべてが不確実というヴェールに包まれたことになる。神が存在するという昔からの教えは正しいのか、日常目にする外界が本当に見えるとおりにあるのか否か、こうして本を読んでいるわれわれの存在は確かなものなのかどうか、すべては定かではない。デカルトは「それまで私の精神に入りきたったすべてのものは、私の夢の幻想と同様に、真ならぬものである、と仮想しようと決心」する。ひょっとすると、この世で確実なものはなにもないのかもしれない。だが、その場合でも、そのこと自体を確実に認識するまで、懐疑を深めていこうとするのである。

▼ Je pense, donc je suis.

デカルトはいま懐疑の道を歩んでいる。絶対に確実な真理を求めて、すべてを疑いにかけている。この道は遠く果てしない孤独な道程である。誰も導いてはくれないし、行けども行けども確実なものに到達しえないかもしれない。それでは、すべてが夢まぼろしでこの世に確実な真理なしと結論すべきであろうか。

否、デカルトはふと疑いをこらしている自分自身に心をとめる。散歩をして、いま目にしている運河や船はひょっとしてまぼろしかもしれないが、そのように考えている私の存在は果たして疑えるであろうか。私は錯覚をしたり計算まちがいをむろんするけれども、まちがいをしている当の私自身は確実に存在しているのではなかろうか。そこで事態は急転する。

「そうするとただちに、私は気づいた、私がこのように、すべては偽である、と考えている間も、そう考えている私は、必然的に何ものかでなければならぬ、と。そして『私は考える、ゆえに私はある』というこの真理は、懐疑論者のどのような法外な想定によってもゆり動かしえぬほど、堅固な確実なものであることを、私は認めたから、私はこの真理を、私の求めていた哲学の第一原理として、もはや安心して受け入れることができる、と判断した」。私は懐疑をしている。つまりすべては偽であると考えている。だが、そう考えている私自身の存在は金輪際疑《こんりんざい》いえない。なぜなら「考えるためには存在せねばならぬ」からである。考えるものが、考えているまさしくそのときに存在しないということはありえないからである。ここに、考えるものとしての私の存在が、どうしても疑いきれないものとして、つまり絶対に確実な真理として発見されたのである。懐疑の暗闇のなかに一点の真理の光が灯されたわけである。

「私は考える、ゆえに私はある」(Je pense, donc je suis : cogito ergo sum《コギト・エルゴ・スム》) というこの有名な言葉には昔から沢山の解釈がなされてきた。「私がある」ぐらいのことは最初からわかっているという見当ちがいの解釈もあれば、思考と存在とがそこで統一されているという思弁的解釈もある。また、そのことばは無内容だが、哲学の景気づけの進軍ラッパのようなものだという文学的解釈もあれば、このことばによってせっかくの懐疑が深まりを失ったという実存主義的解釈もある。昨今では「私は考える」→「私はある」という推論の論理的意味が分析され、前件は後件を含意的に包摂していると解されたり、あるいはそれは推論ではなく存在論的経験に基づく直観だと解されている。

だが、さまざまな解釈に頼るよりも、デカルト自身の注釈をかえりみることのほうが有益であろう。彼によれば、この命題は三段論法の帰結ではなく、精神の単純な直観によって自明な事柄として知られるのだという。もし、それが三段論法であるならば、あらかじめ「すべて考えるものは存在する」という大前提が既知である必要が生じて不都合である（『省察』の相当箇所では「ゆえに」が省かれていて、じかに「私はある、つまり私は存在する」となっている）。この注釈を重くみれば、「私は考える、ゆえに私はある」という命題は、二つの事実の論理的結合ではなく、「私は考えつつある」という一つの事実の直観的表現に帰一するものと思われる（この解釈はスピノザのそれである）。だが、この命題は推論の結果だという別の注釈もあり、必ずしもはっきりしていない。

私の本質は「考えるもの」である

ところで、「私は考える、ゆえに私はある」という確固たる原理は、いわばデカルト哲学の宝庫であって、そこから他のさまざまな真理が取り出される。つぎの節で述べる神の存在も、この原理から導き出されるのである。ここでは、さしあたってその原理から派生する二つの事柄に触れておこう。

そのひとつは、私の本質について解明が与えられることである。いま、私は考えているかぎり存在することが明らかになったが、逆にもし私が考えることをやめてしまえば、もう存在しているかどうかの保証はなくなるのである。また、デカルトの論敵のガッサンディは、「私は考える」といわなくとも、「私は歩く」ということからやはり同じように「私はある」と結論できるではないか、と反論したが、それは当たらない。なぜなら、私の存在が帰結するのは、歩くという身体上の行為からではなく（夢の中で歩いている場合、歩いている私は実在しない）、歩いていると考えている精神上の事実からなのである。歩いているという意識がなければ私の存在は出てこない。このように、思考が存在を知る必須条件なのである。だとすれば、ここに厳存している私の本質はただ、「考えるということ以外の何ものでも」ない。私とは「考えるもの」、すなわち精神にほかならない。考えることこそ私の本分であり、パスカル流にいえばそこに人間の尊厳と価値とがあるのである。ところで、私は身体的な感覚や物体的な外界が疑われている場合でも明らかに存在すると知れたのであるから、精神は物体（身体）から独立な存在であり、後者よりも認識しやすいものといわなければならない。「たとえ物体（身体）が存在せぬとしても、精神は、それがあるところのものであることをやめないであろう」。ここには、精神の物体（身体）に対する優位が表明されているとともに、その不死性が暗示されている。

　私の本質は「考えるもの」（精神）であって、それは物体（身体）から実在的に区別されたものとして存在する。身体的働き（感覚や想像）は、いまだ疑わしいゆえに一応私の本質から除かれるのである。極言すれば、身体がなくとも私（精神）は存在するのである。このように、精神と身体（物体）とを原理的に分ける考えは、デカルトの二元論といわれるものであって、重要な形而上学的主題である。『省察』のサブタイトルには心身の区別が主題となることが記されている。ただ、区別されたこの二つのものがどのように対応しているかは難問であって、デカルトも解き切れない。

なお、『方法序説』のこの箇所では精神の不死性は表立っていないが、精神と身体との区別から精神の不死が導き出される。すなわち、精神は身体から独立の実体なのであるから、身体が死によって滅んでも、精神はそれとともに無に帰するはずがない。それゆえ、精神は不死性に与《あず》かりうるのである。だが、哲学者デカルトは、宗教の問題にはそれ以上深入りしない。

▼明晰判明に理解するものはすべて真である

第二に派生することとは、真理の一般的基準が設定されることである。哲学をする場合のみならず人間がものを考えて生きる場合、なにが真でなにが偽かを判別する基準がまず第一に必要であることはいうまでもない。『方法序説』の第一部では、理性がその基準であるとされたが、ここではさらに認識論的反省がつけ加えられる。「一般に一つの命題が真で確実であるために必要な条件」はなんであろうか。たとえば、いま見いだされたばかりの「私は考える、ゆえに私はある」という命題は真で確実であるわけだが、その確実性はなにによって成立しているのだろうか。どういう真理基準によってその命題の真理性が確信されたのであろうか。それは、「考えるためには存在せねばならぬということをきわめて明晰に私が見るということより以外に、まったく何もない」。明晰判明に認識された命題が真なる命題だとわかったのであるから、明晰判明さということが真理の基準となりうるであろう。そこで、「われわれがきわめて明晰判明に理解するところのものはすべて真である」ということが一般的規則として認められる。明晰とは、注意している精神の前にものが十分に強くはっきりと明示されていることである。

また、判明とは、明晰であるのみならず、あるものが他のものから峻別されて、いわば鮮やかな輪郭をもって現われていることである。いましがた発見された「私の存在」は、精神の直観によって明晰に示され、かつ物体（身体）から区別されたものとして判明に現われてきた真理にほかならない。真偽判別のこの規則は、「私は考える、ゆえに私はある」を思考のモデルとして導き出され、一般化されたものなのである。

「われわれがきわめて明晰に判明に理解するところのものはすべて真である」というこの規則は、デカルト哲学の性格を端的に表現することばとして有名であるが、昔から多くの論争の火種になってきた。たとえば、ライプニッツは、明晰とか判明という概念は主観的なものにすぎず、なにが明晰判明であるかを指し示す別の客観的な規則がなければ不十分であるとした。だが、デカルトにとっては、この規則は究極の真理基準であって、それ以上の論理的分析を許さないものである。その基準を規則の形で制定しようとすれば、主観的との批判はまぬがれぬにせよ、デカルトの場合、最後はどうしても心理的な色彩を帯びてくるのを避けられないと思われる。

2 神の存在

▼神の存在証明

これまでのデカルトの思索から明らかになったことは、私が存在すること、私とは「考えるもの」つまり精神にほかならないこと、そして「明晰に判明に理解するところのものはすべて真である」を真理の一般的基準と認めること、の三つである。だが、それで懐疑は全面的に解かれたわけでは決してなく、外界の存在や神の存在は依然として疑わしい。そこでデカルトは、この三つの知見をもとにしてまず神の存在証明をくわだてる。およそ神の存在ということはたんに宗教や神学上の問題であるばかりではなく、伝統的に形而上学の主要問題のひとつであった。デカルトは哲学者としてこの主題に取り組もうとするのである。神についての議論は『方法序説』第四部のなかでもっとも大きな比重を占めており、いかに彼がこの問題を重視していたかが窺《うかが》われる。われわれとしても、できるだけていねいに見ていくこととしよう。

神という名でデカルトが意味するものは、「ある無限な、永遠不変な、全知全能な完全者であり、私自身をも……他のすべてのものをも創造した、実体」である。カトリックの環境のなかで生まれ育った彼の精神には、当然のことながらそういう神が存在するという古い意見が刻みこまれていた。だが、いま古い意見の再検討をしている彼にとって、神の存在は信仰の次元ではいざ知らず、哲学の次元ではいまだ確証されていない大きな疑問である。その存在が知られないうちは、外界の存在についての懐疑を取り除くことができないし、いましがた立てられた真理基準もあやしくなってくる。それゆえ、神の存在を証明することはデカルトの形而上学の存亡にかかわる急務なのである。

神の存在証明は、すでに中世においてアンセルムスやトマス・アクィナスなどの神学者によって詳しく論じられている。だがデカルトは、そういう権威に頼らず、いま得られた「私の存在」という原理を凝視し、「ただ自分だけに語りかけ、自己を深く掘りさげることによって」論を進めていこうとする。では、彼は一体どのようにしてその証明をしたのか。そこには三つの証明の道がある。まず第一の証明から見ていこう。

第一の証明——原因による証明

「私の存在」が知られたのは、私が疑っているという事実からであった。だが、考えてみれば、疑うということは私になにかが欠けており、私が不完全なものであることの証左である。完全なものであれば懐疑などしないはずである。ところで、「私は不完全である」という場合、同時になにか完全なものを思いうかべてそれとの比較においてそういっているのである。では、「私は私自身より完全な何ものかを考えることをいったいどこから学んだのであろうか」。無から学んだとはいえない、なぜなら、完全者という観念は明らかになにもないところから出てき

デカルトが住んだと思われるユトレヒト郊外の離れ家

たわけでなく、必ずなんらかの原因をもつはずだからである。また、それを私自身から学んだともいえない。つまり、私がその観念を勝手に作りあげたということはできない。なぜなら、より完全なものが、私というより不完全なものから出てくるということは矛盾だからである。完全者という観念の原因は、私でもなければその他の不完全なものでもない。実際に完全ななんらかの存在者こそその原因であるはずである。それゆえ、

「当の観念は、私よりも完全でかつ私が考えうるあらゆる完全性をみずからのうちにもつところの存在者、すなわちひとことでいえば、神であるところの存在者、によって、私のうちにおかれた」

といわなければならない。私が完全なものを思いうかべることができたのは、完全なる存在者（神）が実在しているからにほかならない。

以上が、第一証明のあらましである。この証明は原因による証明といわれているように、私のもっている完全者（神）の観念の原因として神の存在を導き出そうとするものである。この証明にはむろんいろいろな疑問が提出されるであろう。その二、三を検討しておきたい。

▼第一の証明への異論

無神論者は、「私は神の観念などまったくもっていない」というであろう。また経験論者は、神の観念の原因をわれわれの後天的な経験に求め、経験のなかでその観念が次第に完全なものに作りあげられた、と考えるであろう。だが、デカルトによれば、神の観念は工芸家が自分の作品に自分の印をつけるのと同じように、われわれの本性に生まれつき刻みこまれている。その観念の存在は自覚されるとされぬとにかかわらず、すでにわれわれの内にあるのである。そして、人間が不完全なものであると知ると直ちに完全者たる神の観念は自覚される。無神論者は、いまだおのれの内なる神の観念に気づかぬ者なのである。また、この観念は最初から完全なのであって、経験論者のいうように次第に増大してゆくわけではない。神に対するわれわれの知識は増大しても、神の観念そのものはわれわれのうちにまったき形で先天的に内在しているといわなければならない。

この証明に対するおそらくもっとも大きな難問は、神の観念からどうしてその存在が必然的に出てくるのか、という点にあるであろう。ある任意のものの観念がありさえすればその存在がすぐに結論されるとするなら、それはとんでもない観念論であろう。たとえば、われわれがキマイラという想像上の動物の観念をもっているからといって、それが実在するわけではけっしてないはずである。

だが、デカルトによれば、神の観念はけっしてフィクションではない。この観念は明晰判明に理解された完全者の観念である。明晰判明であるかぎり、それは真なる観念そのものである。キマイラのような偽なる観念は無を示す（つまりなにものをも示さない）が、真なる観念は実在的なものを示しているはずである。それゆえ神の観念からその存在が出てくるのである。

あるいは、神の観念の原因は所詮ある他の観念だといえるかもしれない。それでは他の観念の原因はなんであろうか。だが、この場合、無限にさかのぼることはできないのであって、ついにはその観念の原型ともいうべき神の存在に至らなくてはならない。神の観念は、やはり神という実物の写しにほかならないのである。

結局、この証明の骨子は、完全者（神）の観念は生得的であること、そしてその観念は真なる観念であること、それゆえ因果的に必ずある実在を指し示していること、である。デカルトは外界の感覚的事物を疑っているゆえに、私のもつ神の観念だけからその存在を導き出すという、いささか息苦しい観念《イデア》の道を採らざるをえない。彼は一種のイデア論者なのである。

▼第二の証明

第一の証明は、疑っている私、つまり完全者の観念をもっている私という点に目が向けられた。第二証明では、そういう私が果たして私ひとりの力で存在できるかどうかに焦点が当てられ、あわせて神とはどういうものかについて若干議論がなされる。

しばらく、デカルトの推論に従っていこう。私は不完全ながら、明らかに存在するものである。だが、存在するのは私ひとりなのであろうか。私ひとりの力で存在しているのだろうか。

否、

「私は現存する唯一の存在者ではなく、私がそれに依存し、私が私のもっているものを、それから得たところの、他のいっそう完全な存在者が、どうしてもなければならない」。

いや、そんなことはないという人があるであろう。そして、私の存在は親兄弟や社会に依存こそすれ、神とはまったく無関係の独立した存在だと彼は主張するであろう。だが、デカルトが問題にしているのは私の存在の生物学的根拠ではなく、形而上学的根拠である。私が在るということの存在論的分析をしているのである。もし私が単独にして独立な存在者であるとするなら、つまり私一人の力で存在しているとするなら、私に欠けている完全性のすべてを私自身から取り出しえたはずである。「したがって私は私自身、無限で、永遠で、不変で、全知で、全能であり、けっきょく、神においてあると私の認めえたあらゆる完全性をもつことができたはず」である。このように、私が私一人の力で存在するとするならば私は神に等しいものとなって、これは不合理である。それゆえ、私は単独で存在するものではなく、完全なる存在者（神）に依存してはじめて存在するものと考えなければならない。したがって、逆にいえば私の存在が明らかであるなら、その存在を支えている神が在ることも同様に明らかであることになる。私は「神なくしては一瞬間も存続しえない」のである。

神が私を存続させている、という考え方は少しわかりにくいかもしれない。デカルトの存在論の基礎には、神が私をも含めて万物を創造したというキリスト教の考えがある。デカルトの解釈によれば、創造はただ一度きりのものではなく、現在の瞬間瞬間においても創造はくりかえし続いている。つまり、創造は存在の保存とことならないのである。それゆえ、私が存在し続けているということは、神がたえず私を創造（保存）し続けていることの証左である。神がそれをやめれば、私の存在は根拠を失ってたちまち無に帰してしまうであろう。こうした考えは、中世のアウグスティヌスやトマス・アクィナス以来の伝統でもある。私は単独に存在するのではなく、神によってあらしめられていると解するのがキリスト教の教えであった。この第二証明にはそれが濃厚に出ているのである。

▼神の本性とは

つぎに、デカルトはいま見いだされた神とはどういう本性をもつかについて少し考察を付け加えている。

神の本性の全体を知りつくすことは、人間にはもとよりできない。だが、人間理性でその片鱗なりとも垣間見ることはできるであろう。それでは、神はどういうものと考えられるか。まず第一に、神はあらゆる完全性をもったものである。なんらかの不完全性を示すものは神のうちにはまったくない。たとえば、疑いとか、心の動揺とか、悲しみといったものは、不完全な私に属する事柄であって、神のうちにはありえない。第二に、神は人間のように精神と物体から合成されたものではない。なぜなら、合成ということはつねに依存性を示しており、それは明らかにひとつの欠陥である。欠陥は神にふさわしくないからである。また、神のもつ完全性とは端的に一なるものであって、二つの本性の複合ではありえないからである。第三に、神は独立な存在者であって、他の存在者はすべて神の力に依存している。人間などの不完全者は神によって存続せしめられているわけだが、ひとり神のみは自らの力によって自存する完全者なのである。

▼デカルト的神への異論

デカルトのこのような神観について起こりうる異論を二つ検討しておきたい。

神は私を存続させているとデカルトはいうが、「私の存在」は懐疑を通して獲得された哲学の第一原理であって、神のあるなしにかかわらずゆるぎない真理ではなかったのか。もしそうでなければ、それは第一原理とはいえず、神こそ第一原理でなければならなくなる。この疑問にたいしては認識論と存在論の区別をもって答えうるであろう。つまり、「私の存在」は確実な知識を求めていった途上で最初に出会った原理である。そこでは、なにが私を存在せしめているかという存在論が問題なのではなく、とにかく私は考える限り存在するはずだという認識論的自覚が問題なのである。それゆえ、認識の順序のうえでは「私の存在」はあくまでも最初に発見された真理であって、神の存在を前提としていない。デカルトはそういう意味で第一原理といっているのである。ただ、存在の順序の上では神は私を創り存続させているのであるから、神は私よりも先なるものといわなければならない。

もうひとつの異論は、デカルトの考える神はあまりに抽象的でよそよそしく、それではわれわれを救う慈悲ある神たりえないではないか、という問題である。たとえばパスカルは、神の前に手を合わせようとしないデカルトを嫌って、私の神は「アブラハムの神、イサクの神、ヤコブの神にして、哲学者、科学者の神ならず」といった。つまり、パスカルにとって神とは理性的に抽象化された冷たい神ではなく、愛をもってわれわれを救済してくれる暖かい神であった。だが、デカルトがここで論じているのは信仰の対象としての神ではない。形而上学を基礎づける原理としての神である。むろんその神は同じひとつの神であり、デカルトも信仰を持たないわけではない。しかし、信仰と哲学とは別の次元のものである。哲学者デカルトの関心は、神への信仰に想いをひそめることよりも、神の存在と本性とを理性的に解明して哲学の土台を築くことにむしろ向いているのである。

▼第三の証明——存在論的証明

神の存在証明を二様の仕方で一応やりとげたデカルトは、つぎに今まで懐疑のなかにあった外界の事物、とりわけ幾何学の対象となるものに目を向ける。そして、その考察を機会にだめおしするように、再び神の存在の第三証明を行なうのである。

数学の論証はこれまで疑われてきた。だが、幾何学の対象（たとえば、延長や図形や大きさ）については、私はそれを明晰判明に理解しているのではなかろうか。たとえば私が三角形を想像するとき、それは私の力では変えることのできないある永遠不変の本性を表わしているはずである。それゆえに、幾何学の論証は確実なものとみなされていたのである。そして、私が幾何学の対象を明証的に理解するかぎり、それは存在することが可能である。なぜなら、神は私がそのように理解することのできるものをすべて作り出すことができるからである。

　しかしながら、幾何学の対象の存在はあくまで可能的なものであって、私の頭のなか以外にどこにも存在しないかもしれないのである。つまり、三角形があるとすれば、その内角の和は二直角であるという性質は明晰判明に知られても、しかしだからといって三角形が現実に存在するということは決して幾何学の論証からは出てこないのである。それはちょうど、山を谷なしに考えることができないからといって、そこからただちに、ある山が現実に存在するわけではないのと同じである。幾何学は図形の本質を分析する学問であって、図形の現実存在そのものを問うことはしないのである。

　デカルトはこういう知見をもとにして、再び完全な存在者の観念の吟味に立ち戻る。幾何学の対象とちがって、神の観念のなかには現存ということが含まれている。それはあたかも、三角形の観念には三つの角の和が二直角に等しいことが含まれるのと同様にあるいはそれ以上に明証的である。したがって「完全な存在者なる神はあり、現存する、ということは、少なくとも、幾何学のどの論証にも劣らず、確実である」といえよう。

▼第三の証明への異論

　これが第三証明の核心であって、むかしから存在論的証明とよばれるものである。この証明のもっとも問題な点は、なぜ神の観念のなかに現存が含まれるのかということであろう。デカルトもそれを承知していて、『省察』のなかで少し釈明を加えている。いま、この証明を三段論法の形で書き直せばつぎのようになる。

神はすべての完全性をもつ。

ところで、存在は完全性のなかのひとつである。

ゆえに、神は存在する。

まず、大前提については、神をそのようなものと定義したのであるから問題はない。問題は存在は完全性のひとつだという小前提にある。これは神の観念のなかに現存が含まれるというのと同じ次元のことである。デカルトによれば、神においては存在と本質（つまり完全性）とはひとつになっており、不可分離である。それはちょうど三角形の本質からその三つの角の和が二直角に等しいことが分離されないのと同じである。それゆえ、存在を欠いた神は、完全性を欠いた神と同じく、神の本質に矛盾する。存在をもたないものは無であって、無を完全性ということはできない。もっとも完全なものはもっとも実在的でなければならない。そのことが論理的に正しいかどうかは別として、デカルトはこのようなスコラ的存在論を下敷きにして、神の完全性という観念のなかに現存が含まれる、といっているのである。つぎに、小前提から結論への移行に目をやると、神の本質に存在が含まれることを一応認めたとしても、そこからなぜ「神は存在する」という帰結が出てくるのかが問題である。たとえば、山を谷なしに考えることができないからといって現実に山が存在するわけではない。それと同様に、神を存在なしに考えることができないからといって実際に神が存在するという帰結は出てこないのではないか、つまり、「存在」という概念が神のなかに含まれていると私が想定しているだけであって、そこから直ちに神が現実に存在するといえるのであろうか。これは、のちにカントが提出した異論と同じものである。だが、デカルトによれば、それは私の勝手な想定ではない。「反対に、事がら自体の必然性が、すなわち神の存在の必然性が、私を決定してそのように考えさせるのである」。結局、神の本質の内なる「存在」は単なる概念ではなく、明晰判明に理解された観念であり、そのかぎりにおいてそれは現実存在そのものと解される。そして、それは神における存在と本質との一致から来る必然性でもある。現実存在を欠いた神を考えることは私の自由にならないのである。

存在論的証明の論理的是非については昔から議論がある。だが、デカルトは幾何学の比喩をたくみに使って、明らかにそれを是認する立場に立っているのである。

▼神は悟性によってのみ知られる

以上が神の存在の三つの証明である。これと先の精神の考察とをあわせると、形而上学の重要問題の二つが片付いたことになる。

だが、神と精神とを知るのは必ずしもすべての人にとってやさしいことではない。そこでデカルトはなおこの問題について認識論的反省をつけ加えている。

人びとがそれをむずかしいと思う理由は、「彼らが彼らの精神を、感覚的事物よりうえに高めることがけっしてないためである。彼らは、ものを想像することによってしか考えぬという習慣にとらわれており……けっきょく、想像されえないものはすべて理解されえないものであるかのように彼らには思われるのである」。神や精神は物体的事物ではなく、感覚的知覚や想像という理解の仕方ではけっしてとらえられない。だから神と精神を知るために想像力を用いるなら、それは音を聞くために眼を用いるようなものである。しかも、感覚や想像力はしばしば誤りやすいことを、われわれはすでに知っている。だが人間には悟性というより高次の確実な認識原理がある。神と精神が知られるのは、ひとり悟性の力によってであって、われわれはできるだけ感覚や想像から精神を引き離しておかねばならない。精神を感覚よりうえに高めるとは、純粋悟性を使うということにほかならない。

ところで、スコラの哲学者たちはデカルトとは反対に、「まず感覚のうちに存しなかったものは悟性のうちには存しない」と考えていた。だが、神や精神の観念はデカルトの場合、生得的であって感覚から得られたものでないことは明らかである。彼はそれとは逆に、「想像も感覚も、悟性が介入しなければ何事をもわれわれに確信させえない」と主張する。デカルトの形而上学では、想像や感覚が懐疑によって排除され、純粋悟性の示す透明な知的世界のみが目指されているのである。

3 知識の確実性と神

▼知識の確実性は神によって保証される

神と精神とはかくして知られた。残るところは外界の存在を証明することである。そのためには、今までの懐疑を解除する手段を講じなければならない。結論を先にいえば、その手段とは結局神の存在であって、知識の確実性は神によってのみ保証されるという知見である。

だが、およそ外界は証明されるまでもなく目の前にちゃんと存在しているではないか、という人があるであろう。たとえば、私が身体をもつとか、夜空を見上げれば星があるということは、神や精神の存在よりもはるかに具体的で確実ではないか、と問いうるであろう。しかし、前に述べたように、デカルトがここで問題にしているのは実際的な確信ではなく、形而上学的な確実性である。外界の存在が絶対に確実な知識となりうるかどうかが問われているのである。そして、方法的懐疑によって外界は目の前に存在するという素朴な確信はもろくも崩れ去ったのであった。身体をもつことも星があることも、一場の夢にすぎないかもしれないからである。

このような外界への懐疑を取り除くためには、今しがた発見された神の存在を前提しなければならない。つまり、われわれの知識が疑いの余地なく確実であるためには、完全者たる神の保証を必要とするのである。もっとも「私は考える、ゆえに私はある」という真理はその保証をまたずに自覚された確実な知識である。だが、外界についての知識は神の保証のないかぎり、いまだ疑わしいのである。

しかし、知識の確実性を期すためにはなにも神の保証というおおげさなものをもち出さずとも、「明晰判明なものはすべて真である」という件の真理基準で十分ではないか、と主張する人があるであろう。だが、デカルトによれば、この規則すらも「神があり現存するということ、神が完全な存在者であること、および、われわれのうちにあるすべては神に由来しているということ、のゆえにのみ、確実なのである」。つまり、明晰判明に理解されたものは、それが神に由来するからこそ、その点において真ならざるをえず、逆にいくら明晰判明な観念であっても、それが完全で無限な存在者から由来しているとはっきり知るのでなければ、その観念の真理性は保証の限りではない。先に示された真理の一般的規則も、実は神の保証あってはじめて全面的に有効なのである。

神による保証をめぐる問題

しかしながら、ここに重大な循環論があるのではないかということが昔から識者によって指摘されている。というのは、神によって保証されるべきこの規則をデカルトはすでに神の存在証明に使っているからである。これにたいしてデカルトはつぎのように弁明する。

「私は〔幾何学におけるような明証的な〕論証に現在注意しているかぎり、それが真であることを信じないわけにはいかない。だが、私が精神の眼をその論証からそらすやいなや、たとえ私が過去においてその論証をきわめて明晰に理解したということをどれほどよくおぼえていても、もしも神を知らないならば、その論証は疑わしい」(『省察』「第五省察」)。

つまり、神が必要なのは明晰判明な知識の記憶の真理性を保証するためであって、現在、明晰判明に理解している論証については、神の保証をまたずともそれは真である、というわけである。それゆえ、「明晰判明なものはすべて真である」という規則の確実性も神に由来するとデカルトが主張するとき、それはわれわれがこの規則を過去の明証的知識にあてはめる場合には神の保証を必要とする、という意味なのである。そして、現前の明証性に注意する場合に限って、この規則はそれ自体として確実であり有効である。デカルトのこの弁明に従うかぎり、循環は回避されるのである。

だが、今や神の存在が知られており、その神は完全者ゆえにけっしてわれわれをだまさないことも確認されている。それゆえ、過去の明晰判明な知識についても、神の保証はすでに得られている。かくなるうえは、かの規則はどんな場合でも全面的に有効であるといってよい。この知見をもとにして、デカルトは外界についての疑いの解除に向かうのである。

数学的世界の存在証明

「方法的懐疑」のところで見たように、デカルトの疑いは感覚的事物と数学的論証とに向けられていた。彼の形而上学の最後の仕事は、この疑いを解きほぐして外界の存在を立証することである。

いま、明晰判明な知識はすべて真であることが神によって保証されているのであるから、外界についての知識が明晰判明であるかぎりにおいて、その存在を夢まぼろしだと想定する理由はもはやないであろう。すなわち、第一に数学的論証については、人はたしかに誤謬推理をおかすことがある。だが、それは人がその論証を明晰判明に理解していなかったからにほかならない。逆に「たとえ眠っていても、もし非常に判明なある観念をもつならば、例えば一人の幾何学者が何か新たな論証を見いだすとするならば、彼がそのとき眠っていたとしても、その論証はやはり真であることに変わりはない」のである。それゆえ数学は明証的に理解されるかぎり真にして確実な知識である。そして、一般に数学の対象もまたたんに可能的に存在するのではなく、神の保証あるゆえに現実に存在するといえる。こうして、数学への疑いが取りはらわれ、私でも神でもない知的な数学的世界の存在が確認されるのである。

▼感覚的世界の真理性

第二に、感覚的事物についてはどうであるか。感覚はしばしばわれわれを欺く。たとえば、眠っているときに夢と現実とを取りちがえたり、また眠っていないときでも錯覚におちいることがよくある。それは、感覚的知識というものが必ずしも明晰判明ではなく、むしろしばしば不判明で混乱しているからである。したがって、外界がつねに感覚の示すとおりに存在するとはいえないのである。たとえば、「われわれは太陽をきわめて明晰に見るにしても、だからといってそれが、見られるとおりの大きさであると判断してはならない」。視覚でとらえられた太陽よりも、天文学者が理性でとらえた太陽のほうが、より明晰判明であると、デカルトは考えるのである。結局、目ざめていようと眠っていようと、感覚や想像にあまり信用を置くべきではなく、「われわれの理性の明証によってのほかは、けっしてものごとを信じてはならないのである」。ここに理性とは、『方法序説』第一部の冒頭に出てきた「良識」、つまり万人の内なる真偽判別の先天的能力のことである。

それでは、感覚的世界の真理性は理論的には確立されえないのであろうか。否、デカルトはつぎにプラグマティックな見地を導入して感覚の見直しをはかろうとする。なるほど感覚は真理を示さないことが多い。だが、それは真実なる神によってわれわれに与えられた能力であってみれば、感覚もまったく偽なのではなく、「やはりなんらか真なる点を基礎にもっているはずである」。たとえば、痛みの感覚は身体になにか不都合があることを示す重要なシグナルである。このように、身体の保全にかんする事柄については、感覚は偽を示す場合よりも真を示す場合のほうがはるかに多いのである。また、夢のなかで考えたことは断片的であって、目ざめているときほど明証的でも完全でもないのだから、「われわれの思想の真なる部分は、夢においてよりもむしろ、われわれが目ざめてもつ思想において、まちがいなく見いだされるはずである」。このようにして、感覚に対する今までの懐疑は解除されるのである。

しかしながら、だからといって感覚によって外界の存在がただちに立証されるわけではない。

感覚は、それを確証するにはなお不明晰・不判明にすぎるのである。ここにいう外界とは色や香りを伴った鮮やかな感覚的世界のことではない。それは外界のあらわれにすぎない。この世界は感覚にあらわれているとおりに存在しているとはいえないのである。デカルトのいう外界とは感覚的諸性質を捨象した純粋な物質界であり、理性のみによってとらえられる透明な幾何学的延長の世界なのである。外界がこうしたものであるかぎり、それは明晰判明に観念される。ところで、この観念はけっして無を表わすのではなく実在を正確に指し示していることは、すでに神の保証するところである。それゆえ外界は真に存在するといえるのである。結局、物質的世界の存在を立証するのは感覚ではなく、神の誠実さに支えられた理性の明証性なのである。

▼結び――デカルト形而上学の歴史的意義

以上がデカルトの形而上学の簡単な素描である。そこで明らかになったことは、精神としての私の存在、完全者としての神の存在、それに延長としての物質界の存在の三つである。これらは形而上学の根幹であると同時に、自然学の基礎にもなっている重要な知見である。このことは次章以下で論じられるであろう。われわれとしては、最後にデカルトの形而上学の性格を少しく反省して、その歴史的意義について一言しておくにとどめたい。

彼の形而上学の検討から容易に気づかれることは、われわれがふだん素朴に信じている感覚や想像がしりぞけられ、かわりに理性あるいは悟性が強く前面におし出されていることであろう。懐疑は精神を感覚から引き離す作業にほかならないし、その結果発見された私も神も、外界とは断絶した純粋に知的な主体としてとらえられている。そしてまた、外界の本質も幾何学的延長の世界なのである。このように、デカルトの形而上学は、感覚や想像をこえた、純粋悟性の示す明晰判明な知的地平の上に成り立っているのである。

かような知的形而上学は、感覚から出発するアリストテレス＝スコラの形而上学とはまったく性格のちがう新しいものであり、デカルト自身もそれを強く意識している。そして、彼の形而上学は、さまざまな問題をはらみながらも、近世形而上学のいしずえとなって、スピノザ、マールブランシュ、ライプニッツと続くいわゆる一七世紀合理主義の核を形成しているのである。その影響力は、のちのカント、フッサール、ひいてはサルトル、メルロ・ポンティにまで及んでいる。こう見てくれば、デカルトの形而上学はたんに古典的価値があるだけではなく、現代においても第一級の理論として普遍的価値をもっているといえよう。

C．ヘルレマン作の銅版画。デカルトの右足はアリストテレスの著作の上におかれている。

『方法序説』が書かれてからすでに三四〇年が経過している。だが、今なおデカルトの形而上学については、毀誉《きよ》褒貶《ほうへん》あいなかばしておびただしい研究が重ねられている。この事実は、とりもなおさず彼の哲学がけっして解釈しつくされていないことを示している。デカルトは、自分の哲学の原理からあらゆる真理を導き出すには数世紀かかるであろう、といったが、それはあながちいいすぎではないのである。

第4章 自然学

——『方法序説』第五部

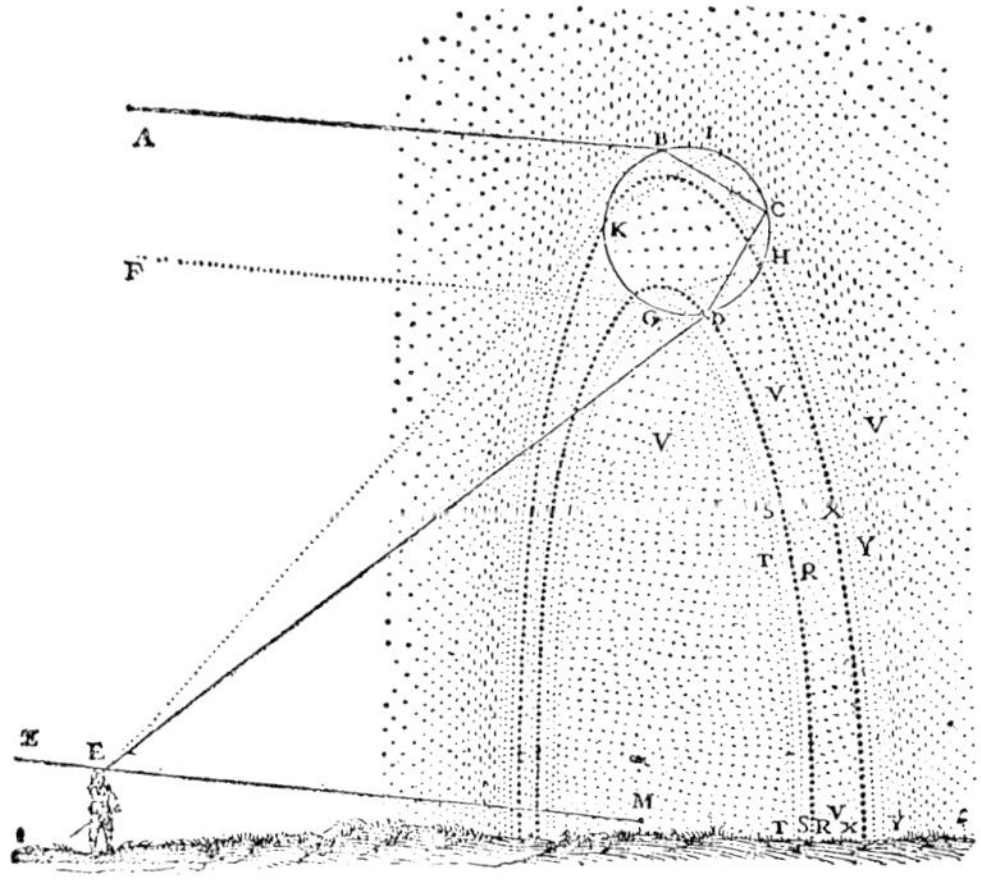

『三試論』中の『気象学』にある虹の説明図

1 新たな自然像成立の背景

▼自然学

第五部の記述は、事情があり公刊されないままに終わった『世界論』の叙述にそって、その主要な考えのすべてが簡潔なかたちで述べられている。今日の『世界論』は未完結な断片であるが、今では別個の断片のような取扱いをうけている『人間論』をもともとはその一部分として含むひとつの包括的著作だったのであるから、この著作はほぼデカルトの自然学の全体系をなしているといえる。ここで読者は自然学という耳なれない言葉をきくように思うかもしれない。そこで、第五部の内容の叙述にはいるに先だち、自然学の語義についてかんたんに、さらにまた当時の自然学を成立させた歴史的背景の動き（その動きはいくつかの劇的事件を含み、あとで述べるが、その事件のひとつがデカルトに出版する寸前の『世界論』の公刊を中止する決意をさせるに至った）についていくらか立ち入って述べておきたい。

自然学という語の語源は、ギリシア語の自然《ピュシス》 φύσις からでたタ・ピュシカ τὰ φυσικά またはピュシケー・アクロアシス ἡ φυσικὴ ἀκρόασις である。こころみに今ここで私が自然学と訳しているフランスの physique（英語 physics、ドイツ語 Physik）を手もとにある辞書で引いてみると、まず「物理学」という訳語が見いだされる。しかし、第五部の内容をいちべつしただけでも、「物理学」というこの訳語があまりにせますぎることに気づくであろう。第五部では、物理学はもちろん天文学、化学、生理学、心理学のことが記述されているし、さらに鉱物、植物、動物について触れる記述も含まれている。したがって、辞書のなかには見つからなくてもここでは語源のギリシア語の語義を汲み自然学という訳語をつかうほうがより事柄に即することになるであろう。ここでいう自然学とは、別のことばでいうと自然科学諸科学という意味である。

▼歴史的背景

つぎに歴史の動きについて述べよう。当時の自然科学諸科学は中世末からはじまったいわゆるコペルニクス的転回のただなかにあった。とくに天文学と力学が革命的変革をまっさきにうけた諸科学であった。この革命的変革は、デカルトの手によって動物＝機械論というかたちで生理学から心理学の分野にまで及ぼされることになる。この変革の歴史の動きを三つの問いに整理してたどることにしたい。

㈠コペルニクス的転回とはなにからなにへの転回であるのか。
㈡その本質的な意味はなんであるのか。
㈢この転回の動きがうんだ上述の劇的事件とはいったいなんなのか。

▼コペルニクス的転回の意義

㈡からはじめよう。近世初頭のルネサンス期以来、実験・観測の量と質はいろいろな分野でたしかに驚くほど急速に拡大しようとしていた。そのありさまを、ベーコンは『新機関』の序文のなかで象徴的に、航海で羅針盤が利用されて以来、大航海時代がひらかれ地理学上の知識が飛躍的に増大したありさまにたとえている。実験・観測の重要性はここで改めていうまでもないであろう。この実証主義的要素を欠いた変革はまったく意味をもたないといえるであろう。第六部のなかでデカルトは実験にたいするじぶんの考えを述べ、どうして独力で自然学の樹立に向かわねばならなかったか、いくつかの理由をあげてその事情を説明している。したがって、デカルトが実験・観測にかんし無関心であってまったくそれを無視したなどという考えは事実に合わない。このように、実証主義的側面はこの変革の動きにとり不可欠な要素であるのだが、しかもそれにもかかわらずここで指摘したいことは、変革のもっとも本質的な意義はたんなる実験・観測の重視にあるのではなく、外界の自然にかんするものの見方、あるいは、自然についての理論的考え方が一八〇度転回したことにある。上述のコペルニクス的転回という表現が象徴的な意味をもつのは今述べた点についてなのである。転回の動きは中世末からいろいろな分野において準備されていた。しかし、その動きが劇的なたかまりをみせたのは天空に描かれた一種の幾何学＝数学である天文学の領域においてであった。この変革の結果、外的自然についてのわれわれのものの見方、ものの考え方は、自然をとらえるわれわれの諸概念の枠組みもろとも根底から一変して変革されるに至る。以上の事情をより具体化し、明瞭にするために、われわれは(一)にうつることにしよう。

▼なにからなにへの転回か

コペルニクス的転回という語はコペルニクスの著書『天球の回転について』の書名からつくられたことばである。書名中の回転《レボルチオ》という語（ラテン語 revolutio. フランス語・英語 revolution）はもともと物体の回転を意味する語なのであるが、この意味のほかに歴史の変革あるいはものの見方の変革の意味もあわせもつところからして、上述のコペルニクス的転回という語はいわば転義によってつくられたことばなのである。いままで静止していたものを運動させ、運動していたものを静止させて、外的自然（宇宙）の中心を地球から太陽に移した地動説は、たしかにものの見方の一八〇度の転回である。しかし、コペルニクス説のもつ真に革命的な意味は、ただたんにそこにあるのではなくてより根本的なところにある。地動説の学説だけであるならば、すでにギリシアにおいてもこの説はひとつの有力な天文学説であった。その事実はコペルニクス自身よく知っていたといえる。若い頃イタリアの地で学んで人文主義的教養を十分に身につけていたコペルニクスは、ギリシア古典のそのような天文学の知識にもよく通じていたのである。では、コペルニクス説におけるその本質的な意味はいったいどこにあるのであろうか。そのことを具体的に明らかにするために、著書『天球の回転について』の出版をめぐるひとつの事件を手がかりにしてみてみたい。

▼オシアンデルの序文

東プロシャのカソリックの僧職としてほとんどその地で一生をすごしたコペルニクスは、晩年人にすすめられて上述の著書の公刊を決心する。しかし、この本が公刊された年にすでにコペルニクスは亡くなっていた。この本の校正刷の一部は彼の死の床の枕元に届けられたと伝えられている。以上の事情から、この主著には彼自身が知らない序文がプロテスタントの僧オシアンデルの手で書かれ、附せられていた。この序文のなかでオシアンデルはコペルニクスの学説をプトレマイオスの天動説とならぶひとつの仮説として述べている。注意しなければならないことは、コペルニクスの説ばかりでなくこの説と対立するプトレマイオスの学説もまた同じく仮説として述べられていることであり、ギリシアのプトレマイオス自身実はその著書において仮説という語を用いている事実である。

したがって、天文学で仮説という語は古くギリシア以来使われ特別に珍しい用語ではなかった。そのことには理由がある。プトレマイオス説もコペルニクス説も、同じくアリストテレスの自然学に基づく二原理を前提としている。その原理のひとつは天球および天体の運動は円運動であるということ（ケプラーの第一法則すなわち楕円運動の法則によってこの原理ははじめて棄てられた）、第二の原理はこの円運動は均一速度であるべきだということ（同じくケプラーの第二法則すなわち面積速度の法則によってこの原理は棄てられた）である。ところが、天文観測のデータはあたかもこの二原理に抵触するかに見える現象を教えている。たとえば天体がその運行の途中軌道上でしばらく停止するように見える〝留〟であるとか、時々軌道を〝逆行〟するように見える現象とかである。

天空に描かれる幾何学的運動について見られる上に述べた不規則運動という「見えを救う」ために、古代ギリシアの天文学では離心円とか周転円とかの数学的モデルの工夫がなされた。すなわち、この天文学上のモデルは、べつにそれが物理的実在である必要はなく、プトレマイオス自身それをたんなる数学的工夫すなわち仮説と呼んでいたのである。オシアンデルの序文で先に述べたことばは、われわれの耳にとり現代の相対主義的あるいは実証主義的な意味をもってひびくのであるが、しかしそのことばはいま述べた天文学上の伝統にそって述べられているのである。このオシアンデルの立場に立てば、コペルニクス説がプトレマイオス説にたいして優越する利点というのは、コペルニクスの仮説をとればプトレマイオスの仮説に従う場合よりも離心円および周転円の数が八十以上から三十あまりに減少し、現象の説明にとり前者のほうが後者よりもはるかに簡便かつ好都合であるというところにある。

▼量的・数学的自然像への転回

ところが、コペルニクス自身果たして自己の説をいま述べたような仮説として考えていたであろうか。問題の決定的な鍵はそこにある。ケプラーはオシアンデルの序文がコペルニクスの意向とはまったく無関係に書かれ、そこでのオシアンデルの主張はコペルニクスの真の思想を伝えるどころか正反対でさえあることを『新天文学』その他において論証した。このケプラーの主張は十分に正当であるように思われる。というのは、コペルニクスはケプラーと同じく、ピタゴラス・プラトン主義者であり、自説の地動説は数学的モデルを記述するだけのたんなる仮説でなく、その記述する単純で美しい幾何学的構造は宇宙（自然）そのものの実在的構造の記述であり、この実在的な幾何学的構造にかんし記述されうる数学的法則は自然そのものの実在的法則である、という信念をもっていたのである。しかし、このプラトン主義的信念は、まだ力学的実証や基礎というものをまったくといってよいほど欠いており、理論的で形而上学的な確実な基礎をもまったく欠いていた。コペルニクス説は上述の革命的な要素のほかにまだまだ中世的と呼ばれうる多くの諸要素を内包していたのである。たとえば上述の円運動と均一速度の二原理がそうである。しかし、それにもかかわらずコペルニクス説出現後の歴史の動きは、巨視的にみると、コペルニクス説実証に向かって動くことになる。

このようにしてピタゴラス・プラトン主義者であるいわばコペルニクスの直観が、外的自然についてのわれわれのものの考え方そのものの概念的枠組を根底から変革する動きの決定的なきっかけを与えることになる。古代ギリシア以来、在来の自然像の根底的な基礎は感覚的な日常的諸経験の事実であった。すなわち、重さ、軽さ、熱、冷等々日常的にわれわれが感覚する感覚的性質が、そのまま自然そのものの実在的性質であり、外的自然の本質をかたちづくっていると考えられていた。重い物はその〝重さ〟のために自然的に落下するのであり、軽い物はその物の本質をなしている〝軽さ〟という実在的性質のために空中に浮かぶのである。アリストテレスの自然学というのは以上のような実在的性質をその基礎とする自然学であった。

したがって、われわれはいままで述べてきた(一)の問いにたいしてつぎのように答えることができるであろう。コペルニクス的自然像の転回はギリシア以来存続してきた性質的自然像から同質的（量的）数学的自然像への転回であった、と。

▽二つの劇的事件

㈢にうつろう。コペルニクス説はそのまま直ちに世の中にうけ入れられたのではない。地動説が人びとにうけ入れられるには七〇年から八〇年の年月がかかっている。それにはもっともな理由が存在している。コペルニクスの宇宙像は、ただ感覚的実証を欠いているばかりか、むしろそれ以上に、われわれ日常の感覚が実証する自然像とその宇宙像は正反対でさえある。ライプニッツのことばを借りると、どのようにコペルニクス説を信じている者でも日常会話では東からのぼる太陽が天空を運行し西に沈む、というふうに語るだろうからである。したがって、コペルニクスと同時代人であったルッターはコペルニクスを名指しし、馬車を走らせながら大地の方が走っていると信じる愚か者がいる、とののしっている。このように、地動説はすぐさま承認され世の中に受け入れられたのではない。

だが先に述べたように、ギリシア以来の自然像を根底から変革する大きな歴史の動きがこの地動説をきっかけにしておこり、一世紀ちかく続いた歴史の動きのなかでわれわれの記憶にのこる二つの劇的な事件が生起した。そのひとつはジョルダーノ・ブルーノの刑死である。ブルーノは独創的な彼独自の哲学的洞察をコペルニクス説と結びつけ、宇宙は無限であり（コペルニクスにとって宇宙は有限であり、ケプラーもまた積極的に宇宙の無限を口にすることはなかった）、無限な宇宙の無数の地球上に無数の救世主キリストが生まれるであろうと述べ、この大胆な説がブルーノ有罪の有力な論拠のひとつになったのである。さらにもうひとつの事件というのは、『天文学対話』のなかでガリレイがコペルニクスの地動説を述べ、そのことから生じた有名な宗教裁判の事件である。

▼ガリレイ事件と『世界論』の刊行中止

この章の書きだしで私は、事情があって『世界論』は公刊されないままで終わった、と書いたが、その事情というのはガリレイが宗教裁判で有罪になり自由を奪われることになった事件のことである。このようにして断罪されたときガリレイはデカルトよりも二五歳年上であるからすでに七〇歳であった。

このガリレイ有罪のしらせをうけると、デカルトはメルセンヌの手を通じて本屋に渡されるばかりになっていた『世界論』の原稿を自分の手許にとどめ、しばらく熟考のうえ、公刊の中止を決心するにいたった。というのは、『世界論』のなかでデカルトは地動説を当然のこととして述べていたからである。もっともフランス人であるデカルトがその著書において地動説を述べたからといって、イタリア人のガリレイのように、ローマの宗教裁判に告発されるということは当時の情勢としては到底考えられなかった。したがって、メルセンヌは『世界論』を公刊することをつよくデカルトにすすめ、原稿をパリまで強奪にゆこうかという人がいると半ば冗談にいうと、デカルトはそれならば原稿は百年間みつからぬ場所に隠すとこたえている。物事に慎重なデカルトは、ジェズイト教団がガリレイの裁判に関与していることを知り、教団の干渉を招いていたずらに紛争にまきこまれるのを避けようとしたのではないかと推察される。公刊中止をつげた手紙のひとつに、中止に至った事情を述べ、そのあとで、デカルトはじぶんがなした決心を釈明して座右銘のひとつであるつぎのオヴィディウスの句を引いている。
「よく隠れるものはよく生きる」。

異端審問官の前に立つガリレイ
(ロベール・フリー画，ルーブル美術館蔵)

しかしながら、周囲ではこの決心をめぐってさまざまに取りざたされたらしい。そのため、第六部のなかでデカルトはかなりの行数をさいて、公刊中止にさいし自分がとった態度について釈明を試みている(その事情は、本書第5章で詳しく述べられる)。

ガリレイの業績

ガリレイがした仕事は多方面にわたるが、中心的な仕事を一口で要約すると、力学的あるいは運動学的基礎をコペルニクス説に与えることにあった。

ガリレイの仕事のひとつに望遠鏡による歴史上最初の天体観測がある。オランダ人が望遠鏡を発明したというニュースをきくと、ガリレイはすぐさま自力で今日いうガリレイ式望遠鏡を製作し、それによって月面を観測し、さらにまた太陽の黒点等を発見した。これらの観測はいろいろな点でコペルニクス説の実証に役立つ観測であるが、続いてまたガリレイはこの望遠鏡によって木星をめぐる四衛星――コペルニクスの太陽系の小型なモデルであった――を発見した。そのときデカルトはまだ一五歳でありラフレーシ学院に在学中であったが、学院では当時催されたある記念祭を機会にこのガリレイの発見をたたえる一四行詩が朗読されている。

望遠鏡によるこれら天文観測はたしかに重要な意味をもっていたが、ガリレイがなしたもっとも重要で本質的な仕事は「運動」を数学化・幾何学化することであった。ガリレイのことばによると「運動を数に従えること」であった。具体的には加速度の法則を見いだし、数学的にその正しい記述を与えることであった。加速度の法則は一見したところきわめて単純であり、さらにまたこの法則の発見にもちいられたオレーム（一四世紀、ニコル・オレーム）の三角形はきわめて単純な幾何図形であったが、その数学的処理にかんしては原理的にいうと微積分法の使用がすでに必要であり、加速(減速も同じ)運動の概念的把握はきわめて困難であった。ガリレイが正しい加速度の法則を人びとに公表するのは一六三八年出版の『新科学対話』においてであって、彼がこの問題に取り組んで以来すでに三五年以上もたっていた。デカルトも同じこの問題を取り上げるのであるが、加速度の法則の正しい把握にはついに到達することができなかった。

加速度の法則それ自身が重要な運動法則であるが、しかしその法則中には原理的にさらにより根本的な法則が含まれている。振子は揺れて当初の高さまでのぼるであろうし、よく磨かれた真ちゅうの玉を滑らかな斜面にそってころがして落とすとすると、もしも摩擦がゼロであると仮定するならば、玉は反対則の斜面を落下してきた高さにまでのぼるであろう。このような思考実験をもう一歩おしすすめて斜面の傾斜角度をゼロにすると、玉は外力によってその状態を変えるべく強制されないかぎり、その初速の状態および最初の方向を保持したまま無限に直線運動を続けるであろう。すなわち、この玉は慣性運動をなすであろう。このような慣性法則をはっきりと自覚的に述べたのはガリレイではない。歴史上はじめてデカルトが現代物理学でもいぜんとして根本法則である慣性法則を、はっきりとした自覚をもって正しく記述したのである。このようになった結果は偶然の事実ではないものと思われる。あとで述べるが、デカルトが新自然像に明確な形而上学的基礎を与えた結果がそれだと解釈することができるであろう。こうして新しい同質的で数学的自然像に加速度の法則あるいは慣性法則という根本法則が与えられることになったのである。このような経緯をたどって成立しようとしている新しい自然学にたいし、オランダの自然学者イサク・ベークマンは数学的自然学という名称をあたえた。ベークマンは本書の第2章1の記述のなかで詳しく述べられているように、若いころデカルトが三ヵ月間ほどのあいだ一緒に数学と自然学の共同研究をした学者である。上述の数学的自然学という名称は現代においてはほとんど用いられていない。しかし、現代の最先端の物理学もまた内容のうえでは数学的自然学であることに変わりない。

1　新たな自然像成立の背景

▼デカルトのガリレイ評

デカルトは年上の先輩であるガリレイに敬意を抱くとともにその運命にふかい関心をしめしている。しかし、その反面、ガリレイにたいする評価は——その当否は別として——きわめてきびしいものがある。メルセンヌにあてた手紙のなかでデカルトは、ガリレイの自然学について、それは「基礎なくして建てられている」という批判を加えている。それでは、自然学にとってデカルトがここでいう基礎とはいったいなんであろうか。ずいぶんとわれわれは廻り道をしたが、ここでやっと第五部冒頭におけるデカルトの文章を正しく理解することができる位置に到達することができた。われわれは、デカルトのいう基礎とはなになのか、この問いを手がかりに第五部の内容の叙述にすすもう。

2　自然学の原理

▽第一の真理から演繹した真理

「第五部」冒頭のデカルトの書きだしはつぎのようである。

「私はさらに話しをつづけて、これら第一の真理から私が演繹した他の真理の連鎖のすべてをここに示したいのである」。

デカルトさらにことばを続けて、ただし真理のすべてをここで述べようとすると、学者たちの間で論争の的であるおおくのトピックについてもまた語らねばならず、それでは学者たちとの無益な不和をいたずらに招きかねないので、このようにすべての真理を述べるというやり方はやめ、『世界論』の内容をただかいつまんで述べるにとどめ、そういう問題（地動説のみかアリストテレス自然学の根本概念にまつわる）がなんとなんであるかをここでは概括的に述べるにとどめたい、という。この書きだしの文章中の「これら第一の真理」というのは、先に第四部ですでに述べられた「形而上学の基礎」に当たり、そこから演繹される他のすべての真理の連鎖というのは、続く文章からただちに明らかであるように、自然学の内容をなす諸真理のはずである。したがって、デカルトがガリレイの自然学が欠いているとする「基礎」とは先の第四部で述べられた第一の（形而上学的）諸真理をさしているのである。要するにデカルトは十分に形而上学的基礎を得た自然学の全内容をここ第五部においてかいつまんで述べることにしたいといっているのである。

▼「第一の真理」の三つの内容

叙述をすすめるに先だち、「これら第一の真理」と冒頭の文章で呼ばれている基礎とは果たしてなんとなんであったかを、もう一度ここで手短に反省しておきたい。

第一に、思惟実体すなわち思惟する「私」の存在がここでいう第一の真理である。

第二に、神の存在も第一の真理である。神の存在についての証明は「私」の思惟のなかになによりもまず見いだされる生得的な神の観念、すなわち最完全者の観念を手引きにしてなされる。

第三に「私」の思惟のなかに見いだされうる生得的諸観念のなかでもっとも重要な観念のひとつ、すなわち第三番目に見いだされる第一の真理である「長さと幅と高さまたは深さにおいて無際限に拡がっている一つの空間」の観念、すなわち「延長」の生得的観念をつけ加えねばならない。ユークリッドの幾何学の三次元空間が外的自然の本質にほかならぬという新しい自然像の根本思想を、デカルトは「延長」というただひとことの用語でもって示そうとしたのである。しかもこの「延長」の観念が数学的自然学にとりそれ以外のものを必要としない直接的な基礎なのである。ところでこの「延長」の観念は「私」の思惟のうちに見いだされうる生得的観念なのだから、最初にあげた二つの第一の基礎を逆にふりかえりながら考えてみるならば、真先にあげた「私」は自然を認識するための基礎であり、さらに、第二に挙げられた神の存在は自然学の窮極的な存在基礎であることになる。それがどのような意味で窮極的な基礎であるかはあとで立ち入って明らかにすることにし、それに先だち頭のなかにわれわれがはっきりと刻みつけておかねばならぬことは、「私」が「延長」の明晰判明な生得的観念をもつからといって、私のなかにおけるこの「延長」の生得的観念の存在がそのままそのような延長する物質世界が現実に実在するという直接の証明であるのではなく、ただ上述のような外界の存在が可能的であるということを保証するだけにすぎないということである。そのような外界の物質世界が現実に実在するにはその存在証明が必要なのである。この点については本書の第3章における記述をおもいだしていただきたい。しかし、いま述べた注意はややともすれば忘れられ、デカルトの自然学の哲学的基礎づけとはいったいなになのかについての大きな誤解が生じやすい。われわれはこの注意を十分に頭において叙述の主題にもどることにしよう。

▼神が自然のなかに法則を定めた

デカルトは第四部において確立されたこれらの第一の真理を再確認したうえで、さらにことばをつぎ、神が自然のなかに自然法則を定め、この法則の観念をわれわれの精神のなかに刻みつけた、と語る。現代の読者はここまで読んでおそらく失望を感じるのではないかと思われる。デカルトの議論を二頁ほど感心して読みすすむと、それからさき、まるで坊主のような議論をデカルトははじめる。それは現代のデカルト主義者であるアランの率直な感想であった。われわれも二頁と読みすすまないうちにまったく同じ印象を今感じる。しかし、すぐにアランがことばを続けて忠告しているように、もうすこし辛抱してわれわれは速断を避け議論の筋を辿ってみなければならない。もしそのように読みすすんでいくらかでも突っこんで事柄を考えてみようとするならば、神が自然のなかに法則を定めた、という上述のデカルトの議論は、現代物理学でも無意味でないばかりか、真剣に問題にされなければならないいくつかの本質的な問題点を含んでいることにわれわれは気づくであろう。上述の事柄を明らかにするためにわれわれは、『序説』の簡潔な議論を、『世界論』におけるデカルトの議論でおぎなって考えてみたい。

▼デカルトの宇宙生成論

デカルトの自然学にどうしても欠くことのできぬ本質的な要素として、一種の宇宙生成論が含まれている。この宇宙生成論は仮説とか寓話、あるいは想定または仮構の名で呼ばれている。天文学でプトレマイオス以来ひんぱんに用いられてきた仮説の語を、デカルトはこれまでとは異なった独自な形而上学的理由をこめて自己の自然学中の宇宙生成論を呼ぶのに用いているのである。この場合デカルトのいう仮説とはいかなる意味をもっているのであろうか。また、なぜデカルトの自然学にとって、仮説、寓話としての宇宙生成論が本質的といえるのであろうか。

これらを明らかにするに先だちわれわれはデカルトの宇宙生成論がいったいいかなる内容のものであるかを簡単に見ておこう。『序説』のなかで、

「かりに、神が想像的空間のどこかに、新たな世界を組み立てるにたりるだけの物質をつくったとし、しかも神がこの物質のさまざまな部分をさまざまにかつ無秩序にゆり動かして、詩人の想像するような混乱した混沌《こんとん》状態をつくりだしたとし、……」と書かれている。「かりに、……とし」とか「想像的空間」あるいは「詩人の想像するような」とかいう表現はこの宇宙生成論が寓話、仮説であることを示している。宇宙生成論が最初に記述するところのものは原初の無秩序であって形（形相）をまったく欠いている混沌《カオス》であり、さらに生成論が目ざす終局は、われわれが現在このように目にしているさまざまな形相をもち、秩序あり調和のある物質的世界である。

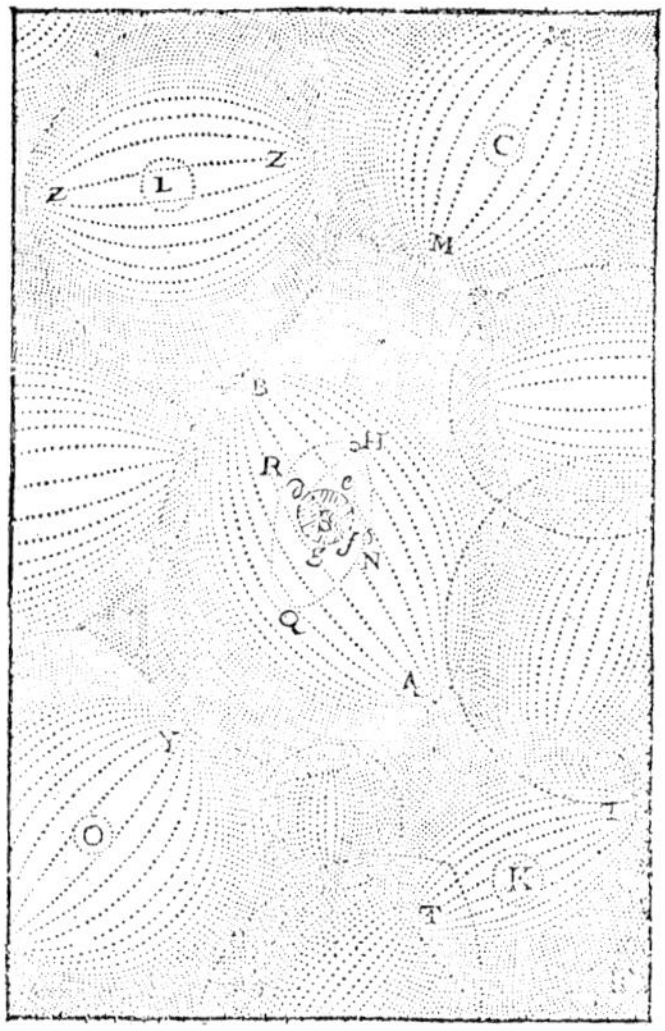

渦動説を示す図（『哲学原理』）。中心のSは太陽である。デカルトは，磁石も血液循環も一種の渦動運動によって説明している。

ところで原初の混沌とはいったいどのようなものであり、またどのような意味でそれは混沌と呼ばれうるのであろうか。まず第一に原初の物質は長さと幅と高さあるいは深さをもつ幾何学的空間にほかならず、われわれが考えうるかぎりのありとあらゆる形（形相）を受容することが可能にもかかわらず、しかし現実にはまだいかなる形相ももってはいないという意味で混沌である。すなわち、あまりに明晰であり われわれがそれを知って知らぬふりをすることができぬほど透明であるために、この原初物資は混沌と呼ばれるのである。第二にこの原初の物質のさまざまな部分はおよそ考えうるかぎりさまざまな仕方でゆり動かされている。したがって、こうした運動の無秩序な多様性のために原初の物質はまた混沌なのである。すなわち、このように二重の意味で原初の物質は混沌といわれるのである。この混沌は自然のなかに神が定めた法則、いいかえると、わずか三つの運動法則（今日の慣性の法則と衝突の法則の二法則）によっておのずから秩序と調和のある現在の世界に生成する。したがって、自然の法則は結局この三運動法則に帰着する。なぜなら物質＝空間を限定して形（形相）をつくる原因は運動であり、法則に従った運動によって秩序あり形相をもった完全な現在のわれわれの世界が生成するからである。これがデカルトの宇宙生成論の大要である。

ところで寓話として語られるこの宇宙生成論は、神についての二つの仮定とひとつの真理を全体の骨格としている。第一の仮定というのは、長さと幅と深さとをもった空間すなわち原初の物質を神が創造したということ、第二の仮定というのは、この原初の物質に創造の最初の瞬間において神が運動を与えたということ、したがって、世界内において神が与えた運動の総量は当初の創造以後全体としてみれば増減することなく恒存かつ一定量である（運動量恒存の原理）ということである。この二仮定のほかにさらにつけ加えるべき一真理というのは先ほどからすでに述べた自然のなかに神が三運動法則を定めた、という真理である。

▽パスカルとニュートンの批判

このデカルトの宇宙生成論にたいしてただちにいくつかのきびしい反論があった。そのひとつは「デカルトはゆるせない。彼はその全哲学のなかで、できれば神なしに済ませたいと考えた。だが彼は世界に運動を与えるために、神に最初のひと弾《はじ》きをさせないわけにいかなかった……」という『パンセ』のなかのパスカルのことばである。このことばは上述の第二の仮定にたいして向けられたものである。

ニュートンの批判はより徹底的していてかつ体系的であった。ニュートンにとってその世界像はそのうちにいかなる種類の宇宙生成論も許すことができない。ニュートンにとりわれわれの住む宇宙は、現にいま存在しているそのままに神が神の宇宙創造のはじめにおいて聖書の記述とおりつくったものである。したがって、ニュートンの世界像においては、いかなる意味でも生成論のはいる余地はまったくない。ニュートンが発見した万有引力の法則の背後には、現代の読者にとり意外ともみえる、このような強烈な形而上学的世界像が実は存在しているのである。ニュートンの主著である『プリンキピア』の初版には、プトレマイオス以来の天文学の伝統にそっておおくの仮定（ことに天文学の領域にかんして）が立てられていた。しかし、初版が書きなおされ第二版の『プリンキピア』の末尾に「一般的注解」がつけられ、この「注解」のなかで「私は仮説を立てない（仮構しない）」とニュートンが書いて以来当初の諸仮説は内容はそのままに規則その他の名称でもって呼びかえられた。「私は仮説を立てない」というあまりにも名高いニュートンのこのことばは、科学研究における実証的態度の重要性にかんし彼の信念を述べた一種のモットーであると考えられている。その解釈は正しい。しかし、上述のモットーはただたんに一般的で抽象的な命題にとどまるのではない。ニュートンの頭のなかにはこの命題によって攻撃すべき具体的敵が存在していた。その主だった敵のひとつがデカルトの宇宙生成論であった。デカルトの生成論のように神にかんする仮説を含む学説など、ニュートンの目にとり絶対に許せぬものと映ったのである。

▼物質の創造と運動の原因

このようにパスカルやニュートンの反論にもかかわらず、デカルトの宇宙生成論は現代物理学にとっても無視することのできない本質的な問題点のいくつかを含んでいる。それを明らかにするために前述の二仮定からはじめよう。幾何学的空間はそれ自体が実在的自然であるのではない。幾何学的空間自体は本質的にけっして運動を含まないが、実在的自然は運動・変化を必然的に含んでいる。つまり数学的自然学において数学そのものがそのまま自然学であるのではない。この両者のあいだには重大な問題をはらむ決定的裂け目が存在している。数学は永遠に静止した運動をしない可能的存在あるいは関係、すなわち本質を考察する学であるのにたいし、自然学は運動する現実的存在（物体）を考察する。したがって、ガリレイが意識していたように設計図上に画かれた幾何学的物体と現実に実在している自然学的物体のあいだには、運動および運動の原因である力の事実にかんして決定的なちがいが存在している。それゆえに上述の第二の仮定がふくむ運動と運動の原因である力の事実にかんするデカルトの思想は、ラジカルなかたちで自然学（物理学）に内在する問題の所在を示しており、この問題は現代物理学になじんでいるわれわれにとっても今日なお真剣に考察するに価する本質的な問いなのである。

その点をもう少し立ち入って考えてみよう。デカルトの「延長」の観念はまったく力の観念をそのうちに内包していない。この考えを自己の根本思想として繰り返しデカルトは力説する。だとすると「延長」に運動を与える原因の力という事実は、延長世界から超越していなければならない。すなわち力の神が「延長」、いいかえると原初の物質に運動を与えたのでなければならない。いいかえると、実在する外的自然の存在は力の神を原因とする。はじめに述べたように神が外的自然の実在のもっとも窮極的根拠なのである、しかし、なぜ、どのようにして神が延長する物質世界を存在せしめたのか、それはわれわれ人間の理解の能力を超えている。したがって、自然学にとって全体的説明原理はこの根本的な点にかんし必然的に仮説的でしかありえないであろう。デカルトのこのような思想にもっとも近い思想を、プラトンの『チマイオス篇』のなかにわれわれは見いだすことができる。晩年の著作『哲学の原理』のなかにおいても同じこの思想が述べられている。したがって、全自然学の根本的説明原理は仮説的であるというこのデカルトの思想は、初期から後期まで終始一貫していたのである。

力を物質世界に内在せしめる現代の諸宇宙生成論は、プラトンやデカルトの思想よりもいわば古代の原子論者の思想に類似している。現代のこれら宇宙論が、果たしてデカルトの宇宙論よりも、外的自然の存在についての問いにたいしわれわれに満足のゆく答えを与えてくれるものかどうか、それは疑わしいと思う。なぜなら、現代の宇宙論は窮極的な答えをいわば一種の偶然《ト・アウトマトン》性のうちに求めているかのように見えるからである。

▼永遠真理創造説

二仮定についで形而上学的一真理すなわち、神が法則を自然中に定めた、という真理について考えてみよう。この真理は一般にデカルトにおける永遠真理創造説と呼ばれている。『序説』のなかで、つぎのように述べられている。

「私は自然の諸法則がなんであるかを示した。……それらの法則は、たとえ神が多くの世界をつくったとしても、それらの世界のいずれにおいても、守られぬことのありえぬような、法則であることを示そうとつとめた」。

この永遠真理創造説はデカルトがごく初期から一貫して述べてきた考えである。国王が自国内に法を布くように、神が自然に法を布いたのである。したがって、神は三角形の内角の和を二直角以上にも以下にも、一プラス二を三以上の数にも以下の数にも、そう意志したならばなしえたはずである、という。存在ばかりか一般に永遠不変と考えられている本質さえも神により創造されたという説である。この思想は、本質的真理についての窮極的根拠づけはわれわれ人間の理性の力をこえ、神の全能と意志のうちに求めるべきとするいわゆる主意主義の立場である。

デカルトはこのような思想を背景にして神が三運動法則を自然のなかに定めたのである、という。すなわち神は外的自然の存在の窮極的根拠であるばかりでなく、外的自然の本質的法則の窮極的根拠でもあるというのである。私はつぎにこの運動法則、そのなかでもとくに慣性法則に焦点をしぼり以下に述べる二点にわたって立ち入った吟味をしてみたい。

㈠慣性法則は新しい近代的自然像にとり果たしてどういう意味をもつのか。

㈡ニュートンの立場をもあわせ視野に収めたうえで反省するなら、神が運動法則を自然中に定めた、というデカルトの思想は、どのような事柄を現代のわれわれに示しているのであろうか。

▼慣性の法則の歴史的意義

㈠からはじめよう。今日われわれが知る慣性法則は『世界論』のなかで述べられている第一の規則と第三の規則（『哲学の原理』ではこの第三の規則が第二の規則になっている）を合わせてひとつにしたものであるから、神が自然のなかに定めた三運動法則というのは、結局この慣性法則と物体間の衝突の作用・反作用の法則の二根本法則に帰着することになる。だが後者の衝突の法則にかんしては、内容上デカルトの記述には誤りがあり、ホイヘンスおよびニュートンの正しい記述により訂正を受けることになる。しかし、前者の慣性法則にかんするかぎり、デカルトの記述は用語の点でも用語の使い方についても細部に至るまで完全に正しくかつ厳密である。ところで、この根本法則にたいして慣性法則の名称を与えたのはニュートンである。ニュートンは、「慣性」という概念はケプラーの著作から得た（『プリンキピア』欄外のニュートンの書込みによる）、しかしこの法則の内容は実質上ガリレイがすでに記述している、と述べている。だがニュートンのこのことばはデカルトにたいして明らかに公平を欠いた不当なことばであろう。というのは、若い頃のニュートンはデカルトの自然学の本を綿密にノートをとって研究したという事実が最近の研究で明らかであるし、また『プリンキピア』の冒頭に書かれている運動の公理あるいは第一法則の名で呼ばれるニュートンの慣性法則は、その用語の点でも構文のあり方の点でも、細部にいたるまでデカルトにおける法則の記述そのままだからである。

ところで、今日なお物理学での根本法則であり続けるこの慣性法則はおよそ物理学で考えうるかぎりもっとも純粋で理想的な幾何学的法則であるといえる。なぜなら、われわれはこの現実の世界において無限な幾何学的直線運動、すなわち慣性運動を純粋にそのままのかたちで感覚し経験することなどはありえぬことだからである。ところが、この理想的で幾何学的な法則の慣性運動が歴史のうえで従来のアリストテレス的な「運動」概念を根底から破壊する結果となった。このアリストテレス的「運動」概念の破壊によって、ギリシア以来の質的自然像は、その形而上学的基盤である目的論を破壊されることになる。この点をさらに立ち入って反省してみることにしたい。

▼目的論的自然観の破壊

従来の「運動」概念に従うならば、運動は、自然物に内在しこの自然物の本質をなしているその物の実在的性質（または実体的形相ともいう）によって、生じる。たとえば持ち上げられた重い物体はその物体の本質である「重さ」という実在的性質を原因として下方に向けて落下運動をなす。この落下運動は当の自然物がなす一種の目的運動であって、重いこの自然物にとりそれに固有な本来的場所である下方のしかるべき場所（目的）に到達するまで持続し、その目的とする場所に到達すると同時に終結し消失する。したがって、一般化していうと、運動は目的に到達し目的を実現するまでの中間の過程《プロセス》なのであって、古い在来の質的世界像に従うならば、自己の状態を無限に持続し終結することのない幾何学的無限直線運動など絶対に存在するはずがないということになるであろう。軽い物体の運動についても事柄は同じである。また熱い（冷い）物体の「熱」（冷）が他の物体を熱する（冷す）等の過程についてもやはり事柄は同じであって、いずれも同じく目的運動なのである。いいかえると、運動は運動であるかぎり、在来の世界像に従うならば、目的を達するまでのたんなる一時的な中間の過程にすぎない。

ところが、新しい自然像の慣性法則は、このような在来の古い「運動」概念を根底からくつがえし、それと同時に、在来の自然像から一切の目的論的色彩をはぎ取ってしまう。パスカルのことばを借りるならば、新たな自然像における無限な空間は永遠に沈黙しているのであって、無限で没価値的な外的自然のなかには一切、価値、目的、および実在的諸性質等は内在していない。その意味でデカルトの自然はまったく透明であり、この自然における一切の性質、変化は「延長」の分割である「形」と位置の変化である「場所的運動」によって説明されなければならずそれ以外のものを必要としない。デカルトのこのような透明な幾何学主義は、ニュートンの世界像と異なり、外的自然、すなわち物質的世界内に重力、引力、磁気力等々の力あるいはエネルギーを一切内在させないから、重力や磁気現象の説明が重要な課題となる。特にデカルトは「重力」の説明に力をそそぐ。「延長」が分割されてできた微粒子間における種類の相違、およびこれら相異なる微粒子間に生じる遠心的運動および求心的運動、すなわち「形」と「場所的運動」によって「重力」の幾何学的説明が試みられている。

▼自然法則の窮極的根拠はなにか

つぎに、先に述べた(二)について、考えみることにしよう。

慣性法則は自然法則のなかでももっとも純粋に幾何的な性格をもつ法則であるが、しかしだからといってそれはたんなる幾何学の法則そのもの、純粋数学の法則そのものではない。慣性法則は実在する外的自然の根本法則であるかぎり、それは本質の法則ではなくして実在的法則でなければならないであろう。ところで、このような実在的自然法則の窮極の根拠を神に求めないとすると、果たしてわれわれはそれをどこに求めたらよいであろうか。この類の問いにたいする窮極的答えを正直にいって現代のわれわれは持ち合わせていないといわなければならない。「……現代人は自然法則を前にするとそれ以上近づくことができないものを前にしたかのように立ちどまる。ちょうどそれは昔の人びとが神や宿命を前にしたときと同様である」。これは現代の思想家のウィットゲンシュタインがいったことばである。

この自然法則の窮極的根拠というラジカルな問題にかんするかぎり、ニュートンの立場はきわめてデカルトの立場と類似している。『プリンキピア』のなかでニュートンは、万有引力の法則にかんし、引力が引き合う物体間の距離の二乗に逆比例しない場合をいくつか想定し、これら諸想定にかんしてさまざまな考察を試みている。これらの諸想定を立てることは、われわれにとって完全に可能であるにもかかわらず、しかし現実において距離の二乗に逆比例する法則が万有引力の実在的法則である。なぜそうなのかという窮極的理由は神がそう定めたからであり、それ以外に理由をつけることはできぬ。これがニュートンの最終的な考えであった。

ここでわれわれはニュートンの口からこのように「神」の名をきくことに抵抗を感じ、こうしたニュートンやデカルトの考えを〝神学的〟という蔑視的な呼び名によってただの一笑にふしたく思うであろう。しかし、仮に今このような思想と正反対ともいえるノミナリズムの考え方、すなわち、科学の法則は窮極するところ現象記述の問題であり、できるだけ感覚の印象を短く簡単に記述するためになされた人為の約束事、いいかえると、一種の速記法のようなものであるという思想、を例にとり考えてみるならば、果たしてこの思想が文句なしに万人の承認を得るにたる答えであるものかどうか、すなわち、問題にたいする窮極的解答であるものかどうか公平にみて大いに疑問であろう。上の答えにたいする賛否は人によって必ず分かれるにちがいない。したがって、自然法則の根拠についての問題は少なくともわれわれ人間にとり現在なお開かれた問題であるというべきであろう。しかし、注意しなければならないことは、ややもすればわれわれは自然法則というものを盲目的に信じ、自然法則の名を聞くとそれ以上それについて問うことなくそこに立ちどまるばかりか、問題は依然として開かれたままであるのではなくもはや解決済みであると考え勝ちなことである。このような態度から機械論的自然についての安易で誤った観念が生じる。

▼機械論的自然という用語のあいまいさ

デカルトやニュートンの自然像は機械論的自然像であるとよくいわれる。この表現それ自体が誤っているというのではない。しかし、よく考えてみるならば、〃機械論的〃というこの用語には多分にあいまいなところがあり、このあいまいな用語によってわれわれは事柄を安易に理解し呑みこんだつもりになってしまう。もしもわれわれが機械論的自然の語によって、外的自然は自律的法則をそのうちに絶対的に内在せしめている一箇の完全な機械装置のごときものだと想像するならば、デカルトやニュートンにおける外的自然はどのような意味においてもこのような機械論的自然ではない。自然のなかに、国王が国内に法を布くように、実在的法則を定めたデカルトやニュートンの神がそれぞれいかなる神であるかを考察することは、われわれにとり興味があるばかりかわれわれが取り扱っている問題にとってきわめて示唆的であるが、しかしここではそれを論じないことにする。

たとえ、神が存在するか否か、「神」の問題はここでは考慮の外におくにしても、ただこれだけはいえる。いままで述べてきたデカルトの思想はわれわれの自然観にとって今なおいろいろな意味で反省をうながす問題性をはらみ、ことに、自然法則にかんしては、その問題は日常われわれが気づくことのない、深い謎をふくんだ一義的な答えが与えられない未知の位層をもっているということ、そのことをその思想は教えてくれているということである。これまでの私の議論はそのことを多少なりとも明らかにするように努めてきたつもりである。

『世界論』の内容

『序説』の記述は、そこで要約しようとしている『世界論』の叙述がどのような分野にひろがっているかを、述べている。それは、まるでフランス・ハルスやレンブラントといったオランダの画家たちの画法を聯想させる比喩による簡潔な記述である。

「画家たちが、立体のさまざまな面のすべてを、みな十分に、平らな画面に描くことができないで、主要な面の一つを選んでそれだけに光をあて、他の多くの面は陰におき、……部分的に画面にあらわすにとどめるように、私も、……光について私のもつ考えだけを、十分に詳しく説明しようと企てた」。

したがって『世界論』には「光論」という副題がつけられている。光を発する太陽や恒星、光を運ぶ天空、光を反射する遊星・彗星・地球をその対象とする天文学、地上のすべての物体は、あるいは色をもち、あるいは透明であり、あるいは光るものであるから、地上の物体についての諸学である潮の満干についての学、気象学、鉱物学、植物学それから化学等、最後に人間はこれらすべてのものを光によって見る者であるから、人間についての「人間論」、以上の分野に『世界論』の叙述は及ぶものであった（今日の『世界論』は未完の断片でありわれわれにとって知りえない失われた部分がある）。ただ動物の発生論については、それを論ずる当初の計画をとりやめた。その理由はそれについて論ずるに十分な実験が欠けていたからである。デカルトが微粒子体説の立場をとったことはすでにふれたが、しかしだからといって原子論を採用したのではない。物質世界を三次元の延長体とするデカルトは物質の存在しない空虚（原子論が論理上必然的に前提しなければならない）を容認することはできないからである。天体論については微粒子の渦巻運動であるところのいわゆる渦動説という学説を考えた。各渦巻の中心にそれぞれひとつの天体を考えるという学説である。光は微粒子の激動の伝播であって、棒の一端を動かせば他端も瞬時に動くように無限速度をもって光は伝わる。「光は諸天空の広大な空間を一瞬の間に横切る」。もっとも今日では光は有限な速度であることが実験的に知られている。ところで光学的研究にかんするデカルトの関心は、『序説』に試論として附せられた見事な論文である『屈折光学』および『気象学』を生んでいる。ことに『気象学』での「虹」の説明は今日からみても完璧で数値上からもきわめて正確である。

3　人　間　論

▼生理学と心理学

第五部の後半部は人間についての叙述である。すなわち『世界論』の最後の部分である『人間論』の要約である。この部門にかんしデカルトはつぎのように述べている。

「しかしながら、動物や人間については私の知識は当時まだ不十分であって、ほかのものと同じ様式でそれらについて述べることはできなかった」。

デカルトは宇宙生成論と同じ様式で動物発生論や人体の生成過程についての考察を述べることができなかった、といっているのである。この後半部でまず叙述されるのはデカルトの生理学、それからそれと結びついた感覚生理学および心理学である。のちにデカルトは王女エリザベトとの文通がきっかけとなって、生理学的心理学（デカルトはこの学問分野の創始者である）を基礎とした感情の心理学を『情念論』のなかで展開する。

まず生理学からみていこう。デカルトの人体の叙述の基礎をなしているのは二つの生理学である。すなわち、㈠心臓生理学（それと結びつく小循環、大循環の血液循環の生理学）と㈡大脳生理学である。人体ばかりか高等な動物の有機体には二つの中心的器官が必須である。ひとつは生命機能の中心器官である心臓ともうひとつは身体行動の統制と感覚や情念（感情）の中心器官である脳とである。

▼ 動物＝機械説

㈠の心臓の機能と機構、ことにその解剖学的な記述は入念であって詳細をきわめている。

「私がこれから述べることの理解を容易にするため、解剖学に通じていない人々は、これを読む前に、肺臓をもつ大きな動物の心臓——それは人間の心臓とあらゆる点でよく似ている——を眼の前で解剖させてみ、そこに見られる二つの心室すなわち心窩《しんか》を、見せてもらわれるよう希望する」。

デカルトは心臓を熱機関と考えていた。生命は一種の熱であるから、心臓のなかに発生し蓄えられる熱が生命機能の原理なのである。ただし熱はデカルトにとってなにも神秘的な性質ではなく物質粒子の運動なのであるから、「延長」「形」「運動」にすべてを帰着させる彼の自然学の原理はここでも見事に貫徹されている。したがって人体および高等動物の身体は心臓を熱機関としてもつ一種の自動機械であることになる。これがデカルトの動物＝機械説である。心臓のなかに発生する熱は光のない火から得られる。すなわち消化器から吸収された栄養分は静脈の血液中にまじって心臓に達し、一種の発酵作用によって熱を発生するのである。デカルトの比喩によると「新しいぶどう液をそのしぼりかすといっしょに発酵させるときその液を沸騰させるところの火」から生ずるのである。ついで生命機能にとっての「第一の、そして最も根本的な運動」であるところの心臓と動脈の運動のくわしい説明にデカルトははいるのであるが、解剖学的に詳細なその叙述を逐一追うのはやめて、いくつかの基本観念をはっきりとさせることにしたい。

▼心臓熱機関説とポンプ説

一六三二年頃メルセンヌは当時出版されていたイギリスの医師ハーヴェイの書物『心臓の運動について』をデカルトに知らせた。デカルトは書物のタイトルとそれからおそらくはメルセンヌが知らせたであろう血液循環説の概要だけで、『人間論』その他のくわしい心臓の記述をなしたようである。「貴方がいつかしらせてくださった書物」を読んだのは「この問題にかんし私じしんが論文を書きあげてしまった後である」とメルセンヌにあてて書いている。書きあげた後でハーヴェイの書物を読んでみると多少の意見の相違も見いだされる、とも書き加えている。デカルトは血液循環の問題にかんしてはその発見をハーヴェイひとりに帰し、「この問題についてはじめて氷を割った」人である、と賞賛しているのであるから、つぎのようにいうことができるであろう。

血液循環にかんしてはデカルトはハーヴェイとまったく同意見でありハーヴェイにしたがった、しかし血液循環の原因である心臓の運動とその機構にかんしてはハーヴェイと意見を異にした、と。デカルトは心臓をボイラーのような熱機関と考えたが、ハーヴェイは心臓をポンプ装置と考えた。デカルトの考えによると、大静脈から右心室に静脈性動脈（今日いう肺静脈）から左心室に新たな血液が流入すると、この血液は両心室内の熱によって急速に希薄化し膨張する。このようにして心臓全体がふくれ右心室と左心室の入口にある弁が開いて、右心室からは動脈性静脈（今日いう肺動脈）を通って肺臓全体へ、左心室からは大動脈を通って身体全体へ各心室の血液が流出するのである。血液が流出すると同時に心臓全体は収縮し別の弁が開いて新しい血液の流入が再びはじまる。このデカルト説によると心臓が膨張したときに血液は流出し、収縮したときに流入する。だがハーヴェイ説の正しい記述によると逆であって心臓は収縮したときにポンプのように作用して血液を押し出し、弛緩して膨張したときに血液は流入する。

この点にかんしてデカルトが誤謬を犯し、ハーヴェイ説の方が正しいことはいうまでもない。しかしデカルトの誤謬を弁護すると、その誤りには理由がなくはなかった。当時の不十分な化学知識の段階では、収縮する心臓がどのようにして強力なポンプのような力を発揮するのか、その原因が不明であった。今日では心筋中に生ずる生化学的な爆発的燃焼がその原因であることが知られている。しかし、少なくとも一八世紀にラヴォアゼが出るまではそのような知識は欠けていたのである。ハーヴェイはこの力の原因として心臓の収縮性という力を想定している。そのような神秘的で説明不能な力をデカルトは認めることができなかった。デカルトは誤謬を犯したが、今日においても生理学における基本的思想である生理学を物理学的に基礎づけるという思想を当時の科学的知識の水準において原理的に貫こうとしたのだといえる。

▼大循環説

小循環、すなわち肺臓を経由して心臓の右心室から左心室に血液が流れる循環——肺はこの循環において血液に新鮮な空気を供給する冷却器および濃縮器の役割をする——についてはハーヴェイにはセルヴェト、コロンボ、ヴァルベルドなどの先人たちがいた。しかし大循環にかんするハーヴェイの仕事は先人未到であって、その重要な意義をただちに理解してそれに正確な記述を与えたデカルトの仕事もまた生理学上における功績であろう。ただ当時大循環説には窮極の実証があったわけではない。その実証はおおくの先駆的な理論がそうであったように、一六六一年マルピーギが顕微鏡を用いてカエルの毛細血管を発見し、毛細血管で動脈の末端と静脈の末端とが連結していることを実証したときに、はじめてえられた。

「身体のすべての静脈と動脈とは、血液がたえずきわめてすみやかに流れている小川のようなものであって、……この大動脈の枝は身体のほかの部分の全体に広がり、大静脈の枝とつながっている」（『情念論』第七項）。

この大循環によって全身に熱と栄養が供給される。すなわち全身の生命機能を支えているのはこの血液循環の流れである。ハーヴェイとデカルトは一種の水力機械のモデルで人体を考えたのである。

▼動物精気説

心臓の生理学と大脳生理学とを結びつける役割をなすのがデカルトの動物精気説である。動物精気というのはギリシアのガレノスからとられた古い用語である。しかしガレノス学派のように、デカルトは動物精気を隠された性質の賦活力であるとか精神力であるとか考えたのではない。動脈血から蒸溜によって気体化した活発な物質微粒子が動物精気なのであって、本質的には血液と異ならない物質なのである。

「動物精気とは、きわめて微細な空気のようなもの、あるいはむしろ、きわめて純粋な活発な焔《ほのお》のようなものであって、たえず豊かに心臓から脳へとのぼってゆき、そこから神経管によって筋肉のほうへ向かい、身体のすべての部分に運動を与えるのである」。

血液流と神経流との間に本質的区別がないのであるから、血管と神経との間にも、本質的区別が存在していない。神経は中心に一本の細い糸をもち動物精気がなかに充満している中空の神経管なのである。

▼大脳生理学

つぎに動物精気説を仲介にして大脳生理学にうつろう。動物＝機械である身体という自動機械はすべての行動を反射的運動によってなす。この条件反射説がデカルトの大脳生理学の中枢をなす学説である。条件反射という言葉こそ用いられていないが、たとえばパブロフなどにみられる基本的思想はきわめて明快なかたちでデカルトの著作のなかに見いだされる。いわゆる条件反射説はデカルトの生理学説にまでさかのぼれるのである。条件反射運動の統制中枢に当たるのは脳室の中心にぶらさがっている小さな腺、すなわち松果腺である。動物精気流の運動

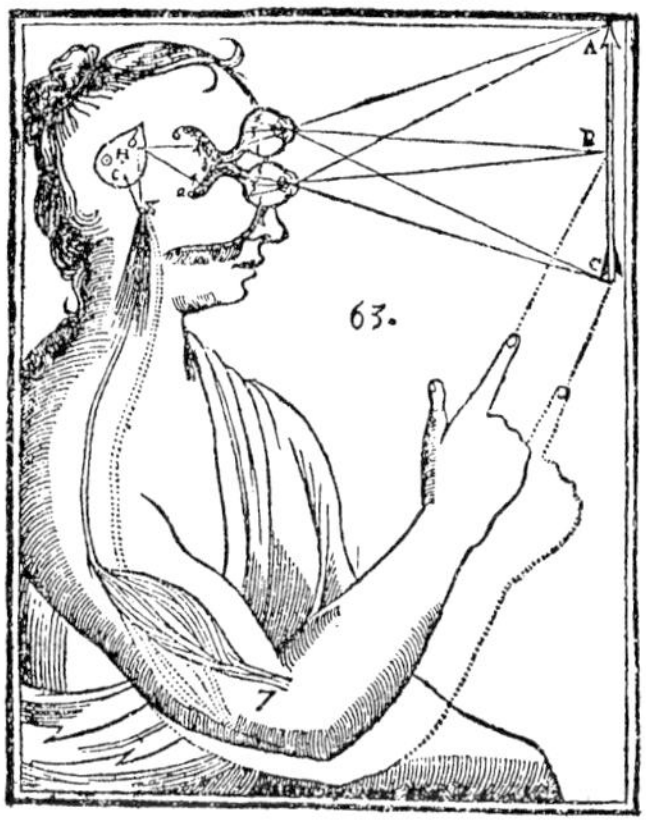

デカルトは光学と生理学を結びつけて考えた。矢ＡＢＣの像は，精巧なカメラである眼球を介して大脳に伝えられ，刺激はフィード・バックされ神経流に変えられ腕が動かされる(『人間論』より)。

は神経管を通じて脳に達し、外界の刺激、印象を運動のかたちでこの腺に伝える。逆に、この腺はこの腺に生ずる条件づけられた腺運動によって動物精気流をしかるべき方向へと方向づけ、一定の神経管を通じて適当な四肢の筋肉に導かれたところのこの動物精気流の運動は、その四肢の筋肉を伸縮させそのときどきの状況に応じた身体の反射運動を起こさせる。

このような動物精気による反射作用のメカニズムの説明を読むと、多少とも現代の神経生理学を心得ているわれわれはいかにも古風だと感じる。しかし、われわれの意識的な身体行動はそのすべてが夢遊病者の場合におけるように意識作用を伴わない反射運動によってもまた遂行されうるのであり、動物の行動のすべては条件反射運動により説明されうるのだという思想は、今日の生理学にもそっくりそのままに生きている思想であろう。さらにまたいわゆる条件のつけ変えの思想もデカルトではっきりと述べられている。たとえば『情念論』のなかでの猟犬の例がそうである。訓練、すなわち、条件のつけ変えにより獲物をみても猟犬は身を伏せて待ち飛びかからないし、また鉄砲を射つ音をきくと自然のままならば恐れて逃げるはずが、うたれた獲物を目がけて反対に前方に向けて飛びだす。このような条件反射の行動を記述するデカルトの目は、ときとしてわれわれにとってはきびしすぎるほど冷厳である。第五部のなかには実際にデカルトが目撃したであろうとおもわれる経験に基づく例が書かれている。その文は短くて気をつけないと読みすごしかねないが印象は強烈である。

「首が切り落されると、それはもはや生きていないにもかかわらず、しばらくはなお動き、土を噛んだりする」。

▼感覚、情念、記憶、想像

反射行動にかんしても感覚印象や、犬が恐れて逃げだしたりする情念や、記憶や、想像などがかたられている。自動機械の動きにすぎない身体行動での感覚、情念、記憶、想像とはいったいなんなのであろうか。われわれがここで注意せねばならないことは、感覚、情念等々についてデカルトは意図的に意味を二重化して、いわば二義的に語っていることである。精神であるわれわれ人間にとっては、感覚、情念、記憶、想像は意識を伴った思念、すなわちそれぞれが思惟の一様態である。だが精神を欠いた自動機械である動物における感覚、情念等々は純粋な身体的運動、すなわち血行、動物精気流、心臓の鼓動、松果腺運動等の身体の内部的運動以外のなにものでもない。

「したがって、動物のなかにも諸情念の運動というものは存在しうるのでありまして、その運動は人間におけるよりも激しくさえあるのです。だからといって動物が意識的な思念をもつというわけではありません」(ニューカッスル侯あて書簡)。

記憶について一ことふれておこう。記憶痕跡は主に脳実質の襞《ひだ》のなかにたくわえられるのであるが、しかし脳ばかりでなく全身に、たとえばリュートの奏者の指の筋肉組織のなかにも存在している。このような記憶はかつての身体的運動の物質的痕跡なのであって、過去の出来事の日付けやその細部をも再認できる知的記憶とは峻別しなければならない。デカルトは二義性とともにまた区別をも要求しているのである。この記憶とか習慣とかを考慮に入れるならば、デカルトの動物機械はつぎのようにいわれなければならないであろう。動物はたんに歯車仕掛の時計のような装置であるのではなく、記憶あるいは習慣の襞をもった機械なのである、と。

▼人間と動物との違いはなにか

動物の行動と意識をもつ人間の行動とは、つぎに述べる二つの特徴を手掛りにするのでなければ絶対に見分けられない。というのは、どのように親しみをしめし、あるいは怒りをしめす動物のふるまいも、動物＝機械説というあまりにきびしすぎわれわれには逆説のように感じられる学説によると、全然意識というものを欠いた身体運動にすぎないのであり、また、原理上身体のかたちという点からも、行動の仕方という点からも、われわれにまったく似ていて、真実の人間と事実上見分けがつかぬような仕方で、われわれを模倣する自動機械を制作することが可能だからである。デカルトは『序説』でそうはっきりと述べている。しかし、人間の行動は明らかにそれとみてとれる二つの特徴によって動物のそれとは区別される。その第一の特徴は言語の自由な使用であり、第二の特徴は特殊な個別的状況に限定されない、生のあらゆる状況に自由に応じる普遍的な適応行動である。以上二つの特徴は行動にあらわれた人間精神の特徴なのである。

▼精神は身体と密接に合一してなければならない

さいごにデカルトは心身合一について述べている。人間精神は、たんに水先案内人が船に乗りこんでいるように、身体と合一しているのではない。それは間接的な合一であって、もしも人間の合一がそのような合一にとどまるのであるとするならば、たとえ自己の身体が傷けられたような場合にも、破損した船の破損箇所をただ水先案内人がそれと認識するように、人間精神は自己の身体のその傷をただ認識するだけであって、けっしてそれに痛みの感覚を感じることはないであろう。それがデカルトの考えであった。

「したがって、一人の真の人間を形づくることができるためには、精神は身体にさらに密接に結ばれ合一しているのでなければならぬ」。

いま右に引用した文中の「一人の真の人間」という表現をめぐり、学者達のあいだではその解釈をめぐって説がさまざまにわかれている。すこしこの点について立ち入り、解釈の違いのポイントを述べておきたい。デカルトでは心身の区別、すなわち、思惟実体と延長実体の区別は実在的区別の名で呼ばれている。これにたいし、心身合一のほうは実体的合一という呼び方で呼ばれている。したがって、解釈の違いをめぐる論争は、上に述べた「一人の真の人間」というのは思惟と延長の二実体とならんでいわば第三の実体というべきものを形づくるのであるかどうか、という点に焦点がしぼられる。見方によっては、論争の問題性は現代にまで尾を引き、現代のさまざまな「身体論」のなかにまで議論は持ちこされているといえる。この「第三の実体」、あるいは、「この実体こそ真なる唯一の実体である」という立場をとる論者にとり有力な論拠となることばがデカルトの書簡その他において見いだされる。たとえば、デカルトは自然学から徹底的に実体的形相あるいは実在的性質を追放しようとするのであるが、しかしながら、レギウスおよびメランあての手紙のなかにおいてそれにたいする唯一の除外例を設けている。すなわち、人間身体と合一した人間精神は、その身体の実体的形相（ただ唯一の除外例として認むべき実体的形相）である、としている。

このレギウスあて書簡中のいま述べた箇所にライプニッツは注目し、そこでのデカルトの主張に強い関心をよせ、再三にわたってこの主張について論じている。というのは、ライプニッツはこのデカルトの主張に自己の思想――「真なる唯一の実体」としての単子《モナド》説――を読み込み、自己の思想展開の論拠と糸口をそこに見いだしたからにほかならない。ライプニッツによると、一切の単子《モナド》は、単子の単子として神をのぞいては身体をもち、単子自身の視点であるその身体から絶対に切り離されることができない。いいかえると、神をのぞくと、一切の単子が真の実体を形づくるため心身合一していなければならないというのである。いま述べたライプニッツの思想はひとつの実例にすぎない。上述の論争は現代にいたるまでその尾を引いているといったが、多くの思想家達がこの問題についてさまざまな解決をこころみ、それを手がかりに多様な思想を展開している。したがって、心身関係の問題は今に至ってもなお決着がついていない開かれたままの問題なのである。

心身の実体的合一と実在的分離

ふたたびわれわれはデカルトに戻ろう。デカルトにおける心身問題を考えるにあたりわれわれが忘れてはならないことは、上に述べた心身の密接な合一、すなわち、心身の実体的合一とともに心身の実在的区別の思想をも絶対に見落とすべきではないという点である。もしも心身の実在的区別の思想を欠落させてしまうならば、デカルトの『情念論』における身体制御、情念制御の学説は成立しないことになるであろう。人間は犬とちがって意志的にじぶんでじぶん自身を制御し、ふつうの手段ではいやすことができない悪しき情念をもまた良き情念に変え、自分のもっとも内面的な部分である気質さえも遂には自分の手で制御しうる。エリザベトにあてた手紙のなかでこのような自由な自己制御の結果として、ちかごろは悪夢もみなくてすむようになった、とデカルトは語っている。こうしたデカルトの思想は、ただたんに道徳の知恵の教えにとどまるものではなく、それは今日の精神医学においてもいまなお刺激的な問題をはらんで生きている思想である、ということができるであろう。

第5章　成果への自信と将来の見通し

クリスチナ女王に講義をするデカルト

1　自然学の効用と実験の必要――『方法序説』第六部

▼ガリレイ事件と『世界論』

『方法序説』の第六部には、ガリレイの事件を知ったため『世界論』の出版を取りやめたこと、その後いくらか思いなおして、別に三つの試論を書き、このほうを公刊するに至った次第が述べられる。

まず冒頭の一節で、自分自身はコペルニクスの地動説をとっているというつもりはない、と断わったうえで、こうはいっておきたいとして、つぎの二点を指摘している。すなわち第一に、ローマの検閲の前までは、地動説のなかに聖俗の権威にとって有害であると思えるような点は認められず、したがって仮に理性が地動説をとらせたとするなら、自分にそれの発表を思いとどまらせたであろうような点はなにひとつ認められなかった、という。第二にしかし、自分はこれまで、きわめて確実な論証なしにはいかなる新たな意見をも自分の信念のなかへとり入れまい、と大いに用心してきたものの、ガリレイ事件のようなことがあってみると、自分の意見のなかには誤っているものもやはりあるかもしれぬとおそれた、といい、このため自分は『世界論』の公表を見合わせざるをえなくなった、とつけ加えている。簡単にいえば、地動説の真なることは確信するが、今すぐ火中の栗を拾うようなまねはしたくない、ということである。

さてデカルトが『世界論』の原稿を手もとにとめおくことにした理由は以上で尽きているわけであるが、このあとさらにデカルトは、あらためて念を押すかのように、『世界論』の公表をいったんは決心した理由、その決心を捨てる口実となった理由、これら双方の理由についてくわしい説明を試みている。

▼自然学の原理は無数の技術の発明をもたらす

『世界論』の公刊を思い立った理由としては、第一に、それが万人の幸福を増しうるものだ、ということが力説される。形而上学や道徳に関しては、各人それぞれに信ずるところもあろうから、あえて自分の考えをもち出そうなどとは思わなかったが、自分の獲得した自然学の原理については、それらをさまざまな特殊問題において試しはじめて、それら原理がどこまで導きうるか、また今まで人の用いてきた諸原理とどれほどちがっているか、を認めるや否や、それらを人に知らせずにおくことが、われわれの力のかぎりあらゆる人間の一般的幸福をはかれと命ずる、あの掟に、大いにそむくことになると考えるに至った、という。自分の自然学の原理からは、学院で教えられる「観想的哲学」の代わりに、ひとつの「実際的哲学」を見いだすことができ、これによってわれわれは、

「火や水や風や星や天空やその他われわれをとりまくすべての物体のもつ力とそのはたらきとを、あたかもわれわれが職人たちのさまざまなわざを知るように判明に知って、それら

のものを、職人たちのわざを用いる場合と同様それぞれの適当な用途にあてることができ、かくてわれわれ自身を、いわば自然の主人かつ所有者たらしめることができるのだからである」。

デカルトはフランシス・ベーコンと同じく、自然学の技術的応用に大きな期待をかけているのである。

そして自分の自然学は、ただに「無数の技術の発明」という点から望ましいばかりでなく、また主として、「健康の保持」という点からも望ましいのだ、といっている。

「身体ならびに精神の無数の病気について、またおそらくは老年の衰弱についてすらも、もしそれらの原因と、自然がわれわれに与えているあらゆる療法とを、十分に知るならば、ひとはそれらをまぬがれうるであろう」。

彼はみずからの自然研究が医学の進歩をもたらしうること、医学が身体の健康のためのみならず精神のためにも役立ちうることを確信した。

「精神でさえも、体質と身体諸器官の配置とに依存するところまことに大であって、人間をだれかれの区別なしに今までよりもいっそう賢明かつ有能ならしめる手段が何か見いだされうるものならば、それは医学のうちにこそ求むべきだ、と私には思われるほどなのである」とまでいっている。

しかし、このような効用をもつ新たな自然学を完成するには、自分の一生ではたりないし、実験も不足している。そこで、自分の見いだしたことはすべてありのまま世間に伝え、有能な人びとに自分の仕事をひきついでもらうなり、必要な実験に協力してもらうなりしなくてはならない。これが『世界論』を公表する気になった、第二の理由であるという。

▼多数の実験と人びとの協力の必要性

ところで、このときデカルトは、自然学においては、われわれの知識が進めば進むほど、いよいよ実験が必要となることを認めた、といい、みずからのとった探求の順序を、つぎのように回顧している。

「第一に私は、一般にこの世界にあるもの、ありうるもののすべての、諸原理すなわちもろもろの第一原因を見いだそうとつとめた。ただしそのために、世界をつくった神のみを眼中におき、また諸原理を、われわれの精神に生まれつきそなわっている一種の真理の種子からのみとりだしたのである。次に私は、これらの原因から導きだせる最初の最も普通の結果がどういうものであるかを調べた。こうすることによって私は、諸天空、諸天体、地球を見いだし、さらに地球上では、水、空気、火、鉱物および、すべての中で最も普通で最も単純で、したがってまた最も知りやすい他のいくらかのもの、を見いだしたと思う。次いで、私がもっと特殊なものへくだってゆこうとしたとき、私にはあまりに多種多様のものが示されたので、人間精神にとっては、地上にある物体の形相、いいかえれば種〔さまざまな化学的物質〕を、もし神が意志すればそこにありえたであろう無限の他の物質種から、はっきり区別することは不可能であり、またしたがってそれをわれわれの使用に供することも不可能である、と私には思われたほどである、もしわれわれが〔順序を逆にして〕結果のほうを先に見てそれから原因におよぶようにし、多くの特殊な実験を用いるようにする、のでないならば」。かなり長文の引用をしたが、ここにはデカルトの自然学の特徴がきわめて率直に表明されているといえる。つまりデカルトは、自然学の一般的原理については、直観に訴えるだけで十分であり、ごくありふれた事物についても、別に実験を必要としないが、化学や生物学の領域では、特殊な事実を一般的原理から演繹するのに多くのちがった仕方が可能であるから、どの演繹の仕方をとるのが正しいか、確かめるための実験を工夫しなければならない、というのである。そして、

「私はいまや、そういうふうに役だてうる実験の大部分に、どういう角度から手をつけるべきかが十分に見える点まで達したと思う」

という。しかしまた、そういうめんどうな、多数の実験を実行するには、自分ひとりの力ではたりないことも明らかであったから、自分は人びとの協力に期待する気になったのだ、といっている。

▼『世界論』公刊中止の理由

さてそれではデカルトが『世界論』の公表を中止したについては、ガリレイの事件のほかに、どういう理由が挙げられているか。デカルトはいう、自分はいくらかでも重要だと判断した事

柄はすべて、それの真理を発見するにつれて記し続けねばならない、とは考えた。それは、事柄を十分に吟味する機会を多くするためであって、考えはじめたときには真であると思われたものが、紙に書こうとする段になると虚偽に見えたことがたびたびあったからである。しかしながら、自分の書いたものを発表したなら、必ず人びとの反対や論争をひき起こし、自分の仕事のための時間を奪われるにきまっている。そういう反対論は事柄の理解を深めるのに役立つだろう、といわれるかもしれないが、自分の経験に照らしていえば、

「私は学院で行なわれる論争という手段によって、前には知られなかったなんらかの真理が発見されたということを、一度も見たことがない」。

これが理由の第一である。

第二の理由として挙げられるのは、自分の思想を伝えてみても、人びとがそれから受けとる利益はあまり大きなものではありえない、ということである。

「あることを他人から学ぶ場合には、みずから発見する場合ほど十分に、そのことを理解しそれをわがものにすることができないものだからである」。

ここでもデカルトはみずからの経験をもち出して、

「もし私が若いときすでに、そののちになって私が証明を求めた真理のすべてを、人から教えられ、それを学ぶのになんの労苦もいらなかったのであったなら、私はおそらくそのほかのどのような真理をも知るにはいたらなかったであろう」。

という。要するに、

「それをはじめた者がまた最もよくそれを仕上げうる者であるような仕事が世にあるとすれば、それこそ私のやっている仕事なのである」。

そして第三に、実験にかんしても、世人の協力に多くを期待しえないことが述べられる。ひとりの人間が無数の実験をすべてやりおおせるわけにゆかないことはもちろんであるが、たとえば錬金術士たちは、実験を秘密と称して、けっして人に伝えようとしないし、たとえ伝えてくれたとしても、役に立たないものが多い。また善意の協力者たちも、いろいろ立派な提案をするだけでそのどれもけっしてうまくゆかないばかりでなく、必ずその報酬として、なんらかの問題についての説明とか、少なくとも無益な挨拶や談話を求めるが、これはわずかな時間の費えではすまないものである、という。これもデカルトには実際に覚えのあったことであろう。

これらの点をすべて勘案して、一六三三年末のデカルトは、すでに書きあげていた『世界論』はもちろん、自分の自然学の基礎を人びとにわからせるような、いかなる他の論文も、けっして発表すまいと決心したのであった。しかし、その後また二つの別の理由が現われたので、若干の特殊な試論を書き、かつみずからの行動と計画とについての報告を公けにせねばならなくなった、という。第一の理由は、もしそうしなければ、自分が『世界論』の公表を思いとどまった原因が、自分にとって、事実以上に不利なものだったと見られるおそれがある、ということである。第二の理由は、自分の計画を打ちあけることにより、いかなる点で人びとが自分に協力しうるかを知ってもらいたい、ということである。

そして最後にデカルトは、今後の自分の仕事の見通しにふれて、これからは医学にかかわりある研究にのみ専念したいと思っていること、ある人びとを益すれば必ず他を害することになるような、軍事技術の研究などには携わるつもりのないことを表明している。

▼本気になれば続々と新たな真理を発見できる

この第六部は全体として、教会や世間の思わくを気にしすぎた、いいわけがましい文章という印象を与えがちであるが、デカルト自身は、これで時をかせぎながら、『世界論』の全体を世に出す機会をうかがっていたともいえる。さらにこの第六部には、つぎに掲げるような、きわめて強気の発言も、ときに記されているのである。

「私のことをいえば、私が以前に学問においていくらかの真理を見いだしたとするなら（この書物に含まれている事がらを見て読者はそう判断してくださると思うが）、それは私がのりこえた五つ六つのおもな難問の帰結であり派生物であって、それら難問を私は自分が勝った五つ六つの合戦に数える、ということができる。そしてさらに、はばからずにいえば、私は私の計画をなしとげるには二つまたは三つの、同様な合戦に勝つだけで十分だと考えている」。

またいわく、

「少なくとも私は、自分が真理を求めようと本気になってかかればすぐ続々と新たな真理を見いだしてゆけるという習慣と熟練とを、現にもっていると思う」。

▼『方法序説』刊行までの経緯

『方法序説』の内容そのものは見終わったので、つぎに書物としての『方法序説および三試論』が出版されるまでの経緯について述べることにする。

第二章の終りに記したように、一六三三年一一月、ガリレイ裁判のことを知らされたとき、デカルトはデヴェンテルにいたが、同年一二月から二年あまり、ふたたびアムステルダムに住み、一六三五年春にはユトレヒトに移っている。第一の試論『屈折光学』は、この年の夏に執筆された。そして秋には第二の試論、『気象学』の原稿がほぼできあがった。最初はこれら二つの試論に、簡単な「序文」をつけて出す計画だったらしい。しかし一六三六年春にレイデンへ移ってからは、さらに第三の試論として『幾何学』を加えることにし、全体の表題も、『われわれの本性を最高度の完全性にまで高めることのできる普遍学の企て、および、屈折光学、気象学、幾何学』という野心的なものにしようと考えている。こうして一六三六年から翌年はじめにかけて『幾何学』と全体への序文とが書かれ、一六三七年六月八日、レイデンの書店から、デカルトの最初の著書として公けにされたが、出版の際に題名を、『理性をよく導き、もろもろの学問において真理を求めるための方法についての序説、および、この方法の試論なる、屈折光学、気象学、幾何学』と改めている。

三つの試論のうち、『屈折光学』については、オランダ転住の以前からすでにノートを書きためていたと思われる。一六二六、七年のパリ滞在の時期にデカルトがミドルジュとともに光学の研究に熱中し、職人フェリエにさまざまな型のレンズを削らせたことはさきに述べたが、そのときの記録がこの論文のもとになっているのである。『気象学』では、オランダ転住後、とくに一六二九年の夏から秋へかけての研究が中心をなしている。篇中もっとも有名な、虹についての説明も、この時期に得られたものであり、デカルト自身、これには一番苦労した、と友人への手紙で述懐している。『幾何学』の論文は、いわゆる解析幾何学を説いたもので、幾何学と代数学との対応をつけようという、早くから念頭にあった考えを、具体的な形で例示してある。オランダへ移って以後のデカルトは、もう数学の問題を解くことには飽いたといったりするが、一六三二年には友人ゴリウスの求めに応じて、有名な「パッポスの問題」を解いており、それがこの論文で重要な位置を占めているのである。

『方法序説』そのものは、これら三つの論文への序文として最後に書かれたものである。そしてこれは、すでにくわしく見てきたように、一種の知的自叙伝の体をなしている。一六二八年春にバルザックからデカルトに寄せられた手紙によれば、デカルトはこの時分に、「わが精神の歴史」と題する一文を草することを友人たちにほのめかしていたらしい。のみならず、断片『良識の研究』にも、『精神指導の規則』にも、みずからの思想の成り立ちにふれた箇所が、あちこちに散見されるのである。してみると、デカルトが『方法序説』を自叙伝ふうの文章に仕立てようとしたことは当然のことだったといえるかもしれない。

2　『方法序説』以後

『方法序説』の自伝的叙述に沿わせて、一六三七年までのデカルトの思想の発展を辿ってきたので、これから『序説』出版以後のデカルトの動きを見てゆくことにしよう。

▼パリとオランダの友人たち

『方法序説および三試論』をデカルトは著者の名を伏せたまま印刷させたが、これがデカルトの著作であることは誰の目にも明らかであった。そしてデカルト自身、オランダ移住後の仕事の進みをパリのメルセンヌあてに逐一手紙で伝えていたから、この書物はまず、メルセンヌのサロンに集まる、フランスの学者たちの注目を惹いた。論議を呼んだのはおもに『試論』のほうであって、フェルマ、ロベルヴァル、デザルグ、ドボーヌら、著名な数学者、自然学者から批判が寄せられ、デカルトもすぐに応酬するなど、活発な論戦がかわされた。『序説』については、第四部に述べられた形而上学の問題にかんして、神学者からいろいろ質問が出た。これはデカルトの予想していたところでもあったから、あらためて自分の形而上学をくわしく展開することにかかる。それが四年後に、主著のひとつ、『省察』として結実するのである。

オランダでもしだいに知人ができる。このうちデカルトの庇護者でもあったのはオレンジ公の秘書クリスティアン・ホイヘンスで、この人のためにデカルトは一六三七年一〇月、機械論の小論文を草している。その子が有名な物理学者クリスティアン・ホイヘンスであって、のちにデカルトの自然学の見地を継承して光の波動説を唱え、ニュートンの光学と張り合うことになる。

なおまた、オランダ移住当初からの知人のひとりにレネリという人がいた。幻日についての報告を入手してデカルトに伝え、デカルトをして気象学の研究に向かわせる機縁をつくったのはこの人である。デカルトがデヴェンテルに滞在して『世界論』の作成に努めていたとき、レネリもデヴェンテルにあって、この町の学院で教えている。デカルトに深く傾倒し、一六三四年、新設のユトレヒト大学に哲学教授として迎えられるや、講壇からデカルトの新哲学を教えはじめる。『方法序説および三試論』が出ると、これを大学での講義のテキストに用いたりもした。レネリは一六三九年三月に歿するが、このとき修辞学の教授エミリウスが読んだ追悼演説は、故人の師にあたるデカルトを、「われらが世紀のアルキメデス、宇宙のアトラス」として称讃した。そして、レネリの死後は、弟子の医学教授レギウスがやはりデカルトの自然学を大学で説くことになる。

▼娘フランシーヌの死

デカルト自身は一六三七年夏、すなわち『方法序説』を出版してほどなく、ハーレムの町に近いサントポルトに住まいを移した。これよりさき、一六三四年、アムステルダムに住んでいたとき、ヘレーナという女中を愛したことがある。翌年七月娘が生まれると、フランシーヌと名づけ、新教の教会で洗礼を受けさせた。母子はしばらく別のところに住んでいたが、サントポルトに居を構えたデカルトは、ここに二人をひきとって一緒に暮らした。デカルトの形而上学の主著『省察』は、こういう水入らずの生活の間に書きあげられるのである。

一六四〇年、デカルトはふたたびレイデンに移る。そして、娘のフランシーヌをフランスに送り届け親戚の一婦人のもとで教育を受けさせようと準備を進めていたが、この子は九月、ユトレヒトに近いアメルスフォールトで猩紅熱にかかり、発病して三日目に、全身を紫斑に蔽われて急死した。まだ満五歳になったばかりであった。デカルトは涙を流し、わが生涯の最大の痛恨事であるといって歎いた。同年一〇月には、故郷の父が亡くなったという報に接する。

『省察』の刊行

形而上学の主著『省察』は、一六四〇年の半ばには本文の原稿ができあがっていたが、デカルトはそれを印刷に付する前に諸方の学者にまわして批判を書いてもらい、みずからの答弁も添えて、本文と一緒に出版しようと考えた。まずオランダのカトリック神学者カテルスの批評(第一反論)をもらって答弁を書き、本文の稿本とともにパリのメルセンヌのもとへ送る。このときパリ大学の神学部(ソルボンヌ)の公認を得ようとして「献辞」を書き、ソルボンヌの博士のひとりで、パリ滞在時に親しくなったオラトワール修道会の神父ジビューフにも尽力を依頼した。もっともこれは功を奏せず、結局、公認は得られなかった。しかし、一六四〇年末から翌年にかけて、メルセンヌをめぐる神学者や哲学者たちの批評（第二反論）をはじめ、当時パリに亡命していたイギリスの哲学者ホッブスの論駁（第三反論）、ソルボンヌの博士になったばかりのアントワーヌ・アルノーの批評（第四反論）、唯物論の哲学者ガッサンディの異論（第五反論）、そしてさらにもう一度、メルセンヌに近い神学者たちの批評（第六反論）など、多くの反論が寄せられた。デカルトも次々に答弁を書き、一六四一年八月、これらをすべてひとまとめにしパリの書店から『省察、および反論と答弁』と題して出版した。『序説と試論』の場合とちがい、ラテン語で書かれ、著者の名前も明記してある。本文の部分のくわしい表題は、『神の存在と精神の不死とを証明する第一哲学、についての省察』とされていたが、翌一六四二年五月、アムステルダムの書店から出した第二版では、『神の存在および人間の精神と身体との区別を証明する、第一哲学の省察』と改めている。なお、第二版には、ジェズイット教団のブルダン神父から送られて来た論駁（第七反論）とこれに対する答弁とがつけ加えられた。

『省察』の本文を『序説』第四部の叙述とくらべてみると、形而上学の問題を取り上げる順序に大きなちがいはないが、個々の問題の扱い方ではいくらか相違が認められる。すぐ目につくのは、「われ」の存在の確立へ導く懐疑の過程において、「欺く神」の想定が最後のきめ手とされていることである。『序説』の議論では、すべてが「夢」の幻想かもしれぬということが、しめくくりの疑いになっていたのにたいし、『省察』では、二たす三は五というような数学的命題は、たとえ夢に見られていても、真である、といい、しかしこのような数学的真理についても、全能の神がわれらを欺いているかもしれぬ、という。そして、そのうえで、たとえ神が欺いているにしても、欺かれる「われ」の存在することは確かである、というのである。神についても自己についても、意志決定の自由ということが、『序説』におけるよりも、重視せられているといってよい。

いわゆる「外界の存在」についても、『序説』では、理性のとらえる明晰判明な観念には実在が対応しているはずだという点がもっぱら強調されていたが、『省察』の第六部では、感覚の演ずる役割があらためて見直されている。もちろん、感覚の示すところが物体界の真の姿だというのではない。物質的事物の本質はあくまで知性のとらえるとおりである。けれども、感覚的観念は、つねにまったく受動的に、「しばしば私の意に反してさえ」生ずるのであり、感覚に伴うこの不随意性に基づいて、ごく自然にわれわれは、感覚の原因としての物体の存在を信ずる傾向をもつ。このことが、外界の存在証明の論拠として、はっきり取り上げられているのである。そして、感覚を取り上げることから、心身関係の問題についても、立ち入った考察が試みられている。

▼デカルト哲学への攻撃

ここでしばらくデカルトの身辺の動きに目を向けよう。デカルトの哲学がユトレヒト大学を中心にオランダでも信奉者をもちはじめたことは先に述べたが、これに対抗して、同じ大学の神学教授で正統カルヴィニスムの領袖であったヴォエティウスが、デカルト哲学に攻撃を加えることになる。はじめはデカルトの名前を挙げずに、デカルトの作と知られる文章を無神論の一例として引くという程度であった。しかし、その後、ユトレヒト大学の総長に就任したヴォエティウスは、一六四一年の末に、デカルトの筆頭の弟子と目されるレギウスの説をとらえて糾弾し、その失脚を謀りさえした。デカルトはこのとき、ハーグに近いエンデゲストにあって、レギウスのため答弁の草案を作ってやったりするが、翌一六四二年三月、ユトレヒト市当局はデカルト哲学の講義を差しとめる。デカルトのほうは、『省察』第二版の附録につけたジェズイットの神父ディネへの手紙において、ヴォエティウスの名前は出さずに、その策謀を公けにした。

このためヴォエティウスはその鋒先をデカルト本人に向けるようになり、一六四三年三月、弟子の名を用いて『デカルト哲学』なる小冊子を出版、デカルトを無神論者として弾劾する。そして、デカルトが『ヴォエティウスに与える公開状』を書いて反駁するや、これを逆手にとってデカルトを誣告罪で告発、同年九月、ユトレヒト市会は欠席裁判によりデカルトの有罪を宣する。やむなくデカルトはフランス公使を介してオレンジ公に訴え、判決の執行を阻止した。この争いはあとまで尾をひき、一六四五年ユトレヒト市会は、デカルト哲学にかんしては、賛否を問わず、一切の論議を禁止するという策に出て、事を葬り去ろうとした。腹にすえかねたデカルトは、『ユトレヒト市会にあてた弁明書簡』を書き、三年後の一六四八年に、加筆して公刊している。

ユトレヒトの事件から数年にたって、レイデンでも誹謗の声があがる。すなわち、一六四七年、レイデンの神学者レヴィウスが、デカルトを瀆神者として非難する説を発表し、続いてレイデン大学の神学教授トリグランディウスが、デカルト哲学は神にたいして人間の自由意志を強調するペラギウス主義の異端であるとして、審問にかけようとする。デカルトはまたもフランス公使やオレンジ公を動かして相手を制せねばならなかった。しかし、結局レイデンにおいてもデカルト哲学に関する論議は一切禁止されることになったのである。

またユトレヒトの事件では、ヴォエティウスの迫害をうけ「デカルト哲学の殉教者」とまで称されたレギウスが、最後には師から離反することになる。すなわち、レギウスは一六四五年、『自然学の基礎』という書物をまとめ、哲学的には唯物論の見地に立って、人間精神も物質の一様態にすぎず、精神が身体から独立な実体であることは聖書に基づいて信ずるよりほかはないと主張し、これがデカルト哲学の当然の帰結であると説いた。デカルトは大いに驚き、つよく撤回を勧告するが、レギウスは聞き入れず、この本は翌年公けにされた。さらに一六四七年、レギウスが『人間精神についての説明』と題する無署名の綱領文を町々に掲げてデカルトの形而上学を誹謗し、デカルトのほうでも誤解を防ぐため、翌年早々には『綱領に対する覚え書』を発表するというような結果になった。

▼弟子エリザベト王女と『情念論』

しかし、このようなデカルトにとっては不本意な争いごとが続いた時期に、彼は自分の考えを素直に受けとめてくれる、ひとりの若い女弟子をもつことになった。もとのファルツ侯フリードリッヒ五世の娘、エリザベト王女がその人である。父は三十年戦争のはじめに新教派の盟主となってプラーハにおもむいたが、エリザベトが二歳のとき、「白山の戦」に敗れて国を失い（このとき若いデカルトが旧教軍の一員として加わっていたかもしれぬことはすでに述べた）、一家は母方の叔父にあたるオレンジ公を頼ってオランダにのがれハーグに住んでいた。デカルトがエリザベトにはじめて会ったのは一六四二年で、『省察』を読んで王女が洩らした批評を友人から伝えられて感心し、エンデゲストの宿からハーグの宮廷を訪れたのである。しかし、デカルトは翌年アルクマールに近いエグモント・オプ・デン・ヘーフ（海辺のエグモントという意味である）に移り、一六四四年一一月からはずっとエグモント・ビンネン（内陸のエグモントの意である）に落ち着いたから、エリザベトは手紙で教えを乞うことになる。

エリザベト王女

デカルトがエリザベトの才能をいかに高く評価していたかは、一六四四年に出す『哲学の原理』をこの王女に献じ、その献辞のなかで、「私の公けにした論文のすべてを完全に理解したのは王女ひとりである」と書いていることからもうかがえる。デカルトの目には、エリザベト王女は、形而上学と幾何学とのいずれにも通暁しうる稀有の精神と映じたのである。

しかし、エリザベトは、デカルトの考えを素直に受けとめようとしただけに、彼の哲学の問題点をも正直に感じとった、ということができる。エリザベトが最初の手紙で発した問いは、心身関係にかかわるもので、デカルトの形而上学の急所を衝いている。デカルトの答えも、常になく率直であった。すなわち、心身の合一は、「形而上学的思考」や「数学研究」とは別の次元の営みである「日常的生」の次元で知られる、といい、学問と生活との区別をはっきり承認している。そして、その後エリザベトが道徳の問題に質問を集中し、情念の定義を求めたのに応じて、デカルトは、精神と身体との両面にわたる自然学的反省に基づき、情念の制御の工夫を新たに考えた。その結果が晩年の著作『情念論』であって、これはエリザベトの質問がなければ書かれなかったであろうと思われる。

▼『哲学の原理』と「智恵の木」の比喩

さてデカルトが一六四四年に出したラテン語の著作『哲学の原理』は、形而上学と自然学とを一巻にまとめたもので、こまかく節を分け教科書ふうに書いてある。おそらくデカルトはこれによって、自身の哲学をオランダの大学に普及させようとはかったのであろう。四部に分かたれている。第一部「人間的認識の原理について」は、『省察』の形而上学を要約したものであるが、たとえば神の存在証明において存在論的証明を最初に挙げるなど、細部にいくらかちがいが見られる。第二部「物質的事物の原理について」、第三部「可視的世界について」、第四部「地球について」は、それぞれ自然学の原理、宇宙の生成、地球の進化を論じたものであり、全体として、一〇年前に公表を控えた『世界論』の前半の部分（「光論」）が、ここではじめて陽の目を見ることになったといえる。当初の計画では、さらに第五部「動物および植物について」、第六部「人間について」を加えるつもりであったが、必要な実験が欠けているので断念せざるをえなかったという。

一六四七年にはこの本のフランス訳が出るが、そのとき訳者ピコ師への手紙の形で、長い序文が添えられた。哲学全体を一本の「知恵の木」にたとえ、その根は形而上学、幹は自然学、幹から出る三つの主要な枝は機械技術、医学、道徳である、とする有名な比喩は、この序文に見いだされる。『方法序説』の第六部では技術と医学との効用がもっぱら強調されたにたいして、ここでは道徳が知恵の最高の段階とされているのである。

デカルトは道徳については独立の著作を書かず、エリザベトへの手紙のなかで折りにふれて自分の考えを述べるにとどまった。しかし、デカルトの道徳は上述の『情念論』において十分に読みとりうると思われる。この書物が出版されるのは一六四九年デカルトがスウェーデンへ出立してからであるが、原稿は一六四七年にできていた。出版にあたってデカルトは、自分の企てが情念を、演説家としてでなく、また道徳哲学者としてでもなく、ただ自然学者として説明するにあったことを断わっているが、事実そのとおりで、ここでは人間の神経生理にかんする立ち入った知見を前提にして、情念の客観的分析が実にくわしく展開される。しかし、そのうえでデカルトは、もろもろの情念を浄化し統御する方策をも考えている。そして、そのために心身の医学が役立つことはもちろんであるが、なによりも大切なのは、運命や摂理の必然を受け入れ、富や名誉のような外的善への欲望を捨て去ることである、という。これは明らかに、若くして炉部屋で考えた「暫定的道徳」の第三格率の再現である。けれども、晩年のデカルトにおいては、それは同時に、みずからの自由意志のよき使用を重んずることとして説かれているのである。自己の自由をなによりも尊しとするこの感情を、デカルトは「高邁の心」と呼んで、真の道徳の頂点に置いている。

▼女王クリスチナ

さてデカルトのオランダ滞在は二一年間に及び、彼の壮年期の大部分と重なるが、終りのほうで三度ばかり、本国のフランスへ旅行している。第一回の帰国は一六四四年夏で、ユトレヒトの状態が険悪なさなかであったからオランダの友人たちはデカルトがもう戻ってこないのではないかと案じたが、暮にはオランダに戻っている。一六四七年、二度目の帰国の折りには、病中のパスカルをパリにたずね、気圧のことを話し合ったと伝えられる。三度目は一六四八年で、フランス王室から終身年金を与えられることになったというので帰ったところ、すぐにフロンドの乱が始まって、パリではあちこちにバリケードが築かれる有様であった。デカルトは早々にオランダへ引きあげている。

こうして当分は故国へ帰る見込みがもてなくなったとき、彼は北の国スウェーデンへ招かれることになる。当時スウェーデンの王位にあったのは、グスタフ・アドルフ王の娘、クリスチナである。三十年戦争の半ばに父王がドイツの新教徒に味方して兵を出し、各地に転戦して勇猛を謳われ、獅子王の名をほしいままにしたのち、一六三二年、ヴァレンシュタインとの戦闘で流弾にあたって戦死したとき、クリスチナは六歳の幼女であったが位をついだ。男まさりの女傑であって、一六四四年からは自分で政務をとっていたが、他方で学問を好み、ストア哲学に親しんで、多くの古典学者を宮廷にかかえていた。

デカルトの友人のシャニュが一六四五年フランス公使となってストックホルムに来任し、デカルトのことを話題に供したのがもとで、女王はデカルトに関心をいだくようになった。そしてあるとき「愛」についてデカルトの考えを聞きたいと思い、シャニュを介して意見を求めた。これに答えてデカルトは、一六四八年二月、シャニュあてに長文の手紙を書く。クリスチナはつよい感銘をうけ、「最高善」についても質問を発し、シャニュとともに『哲学の原理』を読みはじめる。このころシャニュは大使に昇格していたが、デカルトにあてた手紙のなかで、「あなたの哲学の研究がいまやスウェーデン駐在フランス大使の任務となった」と書く。ついに女王はデカルトその人をストックホルムに招き、じかに教えをうけようとする。

クリスチナ女王

一六四九年はじめから再三親書を送り、四月には軍艦を差しむけて一提督にデカルトを迎えさせる。デカルトは驚いて、このときは同行を断わるが、その後シャニュの勧めもあって、秋にはスウェーデンゆきを決心する。九月、自分の運命についてなにかを予感したかのように、身のまわりをすっかり片づけ、手稿の一部を友人に託して、船でオランダを発った。

▼厳寒の地ストックホルムでの死

一〇月にストックホルムに着いて女王にまみえ、シャニュの館に住むことになる。デカルトはクリスチナのストア的な強い性格には大いに感心したが、古典の研究に興味をもちすぎると感じた。そして、宮廷の人文学者たちも、すぐデカルトに敵意をいだきはじめた。

女王はデカルトをスウェーデンに永住させるつもりであったらしいが、デカルトのほうでは、寒気のきびしいこの国に長くはとどまれないと感じた。「この国では人の思想も水と同じく凍ってしまう」と洩らしている。しかし、女王の好意には、できるかぎり誠意をもって報いようとした。この年の一二月、「ウェストファリアの和議」成立の一周年を記念して祝賀の行事が催されたとき、求めに応じて舞踏劇のための詩、『平和の誕生』を書いている。これはすぐに出版され、人びとの胸をつよく打ったが、久しく失われており、一九二〇年にふたたび見いだされた（その内容に関しては第四章で少しふれておいた）。また女王からアカデミー設立の計画を聞かされて、規約の草案をこしらえたりしている。

明けて一六五〇年一月、クリスチナはいよいよデカルトに哲学の講義を聞くことになり、デカルトは厳寒のさなか、週二回、早朝五時に馬車を駆って王宮におもむく。シャニュはデカルトトの健康を案じ、講義の時間を遅らせるよう女王に訴えようとしているうちに、シャニュ自身がまず肺炎にかかり、これを見舞ううちにデカルトも同じ病いに倒れる。そして、シャニュはよくなったが、デカルトのほうは発病後一〇日足らずで死ぬのである。

はじめデカルトは自分の病気を肺炎とは診ず、リューマチにかかったぐらいに考えていて、女王のよこした医者が奨めた刺絡の手術を拒み、高熱にうなされながら、「フランスの血を取らないでくれ」と口走ったりしている。八日目の朝になって熱が少しさがったとき自分の誤診に気づき、はじめて刺絡をさせるが、もう取りかえしのつかないことを悟った。その後いったん小康を保つが、九日目の夕方、椅子に倚るうち病状が急変し、ただひとり傍らにいた忠実な従者シュルッテルに、「シュルッテルよ、こんどは出かけねばならぬ」とつぶやいた。従者は驚いて寝床につかせたが、デカルトはもうなにもいわず、翌朝の四時、シャニュ夫妻らに見守られて息を引きとった。時に一六五〇年二月一一日、享年五三歳一〇ヵ月と一一日であった。

▽遺骨と遺稿の行方

女王はデカルトの死をいたく悲しみ、その功績を讃えるために盛大な葬儀を営もうとしたが、これにはシャニュが故人の遺志に

ストックホルム風景

反することになるとして異をとなえ、結局、簡素な葬儀ののち、デカルトの遺骸は、ストックホルムの外人墓地の一角に埋葬された。死後一七年、デカルトの遺骨はパリに移され、サント・ジュニヴィエーヴ丘の修道院に改葬された。クリスチナはデカルトの死後四年にして、みずからの意志で王位を退き、かつ新教から旧教に改宗しており、このときはローマにあったが、デカルトの骨をパリに移すと聞いて、「自分がもしスウェーデンの王位にとどまっていたなら、そういう宝をむざむざフランスに渡しはしなかったろうに」と語ったという。現在、デカルトの墓はパリのサンジェルマン・デ・プレ教会にある。

デカルトの遺稿のほうは、シャニュの手もとで目録が作られたのち、一六五三年パリに送られ、シャニュの義弟クレルスリエ（『省察』の附録、「反論」と「答弁」とをフランス語に訳した人である）によって保管された。クレルスリエはこれをもとに、三巻の『デカルト書簡集』を編んだりしている。クレルスリエの死（一六八四年）ののち、遺稿はルグラン神父に預けられ、神父はそれをアドリアン・バイエに示して、デカルトの伝記の執筆を委嘱した。バイエの『デカルト伝』は一六九一年に出版されたが、デカルトの遺稿そのものは、ルグラン神父の死後、行方が知れなくなるのである。

3　デカルト哲学の功罪をめぐって

『方法序説』を中心に、『序説』執筆以後のデカルトの後半生の動きをも見終わったので、最後にデカルト哲学が、現代のわれわれにとって、どういう意義をもっているかを考えてみよう。

▼科学革命の影響

まずデカルトが近世初頭における自然学の根本的な改編、いわゆる科学革命に立ち合って、みずからも大きな役割を演じたことに注目しよう。無限にひろがる宇宙の全体をひとつの力学的体系と見ようとする試みは、デカルトにはじまるといってよい。これは、その後の歴史を考慮に入れると、大変重大な点に関係する事柄であった。すなわち、デカルト以後三百年の間に、新たな科学的世界認識は、技術を飛躍的に向上させ、市民社会の成立を促し、信仰の相対化をもたらした。そして、いくつかの歪みも生んだ。技術・社会・文化という、人間の営みの三つの次元のいずれにも、科学革命の影響は及んでいるといえるのである。

順々に見てゆくと、まず目につくのは、自然を科学的に客観的にとらえるためには、それまで抱いていたさまざまな偏見から脱却して、自由な精神となることを要した、ということである。そして、このように近世科学成立の前提条件となっている、ひろい意味での精神の自由が、現実の政治や社会の次元では、中産市民階級の政治的自由の要求という形をとって現われたのである。典型的な例は、一八世紀後半におけるアメリカ合衆国の独立と、同じ世紀の末に起こったフランス革命とに認められる。

一九世紀のはじめ以来、新しい科学理論に導かれて技術の革新が大いに進み、いわゆる産業革命を生んだ。それの起点となった西欧諸国が、生産技術や軍事技術の面での圧倒的優越を背景に、非ヨーロッパ地域に対する政治的支配権をもつに至ったのも、いわば自然な成りゆきであった。しかし、現在では、科学に基づく機械的技術は、急速に伝播し受け入れられて、もはや一国や一文化圏の独占を許さぬものとなっている。とくに交通や通信の技術の発達によって、ある意味で、世界はひとつになりつつあるということができる。

さらにまた、科学による没価値的な客観性の追求と表裏して、文化の領域では、科学を生み出したヨーロッパの思想的伝統そのものの自己反省が行なわれてきた。キリスト教の信仰の絶対性は否定され、正統のキリスト教から見ての異端思想があらわに主張されるに至ったのみならず、ヨーロッパの伝統がインドや中国の伝統との接触によって影響され、相対化されるという過程をも伴った。一七、八世紀のフランスでは中国の伝統文化に対する関心が強まり、一八世紀末からはドイツにおいてインド思想への同感が表明される。こうしてもろもろの世界観に関する歴史的相対性の意識が生じ、価値体系の多元性ということが、はっきり意識されて現在に至っていると考えられる。

ところで、現在の世界では、科学の進歩に由来する弊害もまたいろいろな局面に現われていて、やかましい論議の的となっている。たとえば人間疎外、懐疑的ニヒリズム、環境汚染すなわち公害の問題など。

このうち人間疎外の問題は、産業革命以来の工業化社会において著しく目立った現象であって、この問題を解決するには、資本主義の経済体制を打破して社会主義への道をとるしかないということが、一九世紀の後半以来、つよく標榜されてきた。しかし、今までのところ社会主義は、資本主義のすでに発達した地域よりもむしろ未発達の地域において実現されたのであり、しかもあちこちで、それぞれちがった形を示している。そこで近頃では、社会の発展過程としては、資本主義から社会主義への方向と、社会主義から資本主義への方向との、どちらの方向も可能なのだ、といわれたりする。

しかし、このように政治や社会の形態がいろいろに動きうるにしても、その底にある科学的技術のほうは、そういうことにかかわりなく進歩するものであることは明らかである。テクノロジーの進歩は、社会体制やイデオロギーの差異を越えて滲透しうるのである。

▼デカルトと現代世界の状況

現代世界の状況が一七世紀の科学革命によって大きく規定されていることを認めるならば、そこに居合わせてもっとも包括的な視野をもちえたデカルトの思想が、現代のわれわれにとっても重要であることは、あらためていうまでもないであろう。デカルトは、右にわれわれの見てきたような現代世界の直面している諸問題を、十分見越していたとはもちろんいえないが、そういう問題を全体として見渡しうる広い視野をあらかじめわれわれに与えていた、とはいえるのである。そのことは、「無限な宇宙」の発見に応ずる新たな意識としての「考えるわれ」をデカルトがつよく打ち出した、という点に、はっきり現われているといってよい。

▼科学と技術

近頃の文明批評では、科学と技術とを一緒にして公害論や科学論が展開されることが多い。しかし、もともと、科学は世界を客観的に知ろうとするもの、技術はそれの応用であって、互いに次元が異なるのである。デカルトにおいてはその点がはっきり意識されていたと思われる。そこでわれわれも、科学的知識の客観性とそれの技術的応用とを区別して考えることにしよう。するとすぐにわかることは、科学は自然の因果的必然性を明らかにするのに対し、技術のほうは人間の必要の見地から考えられている、ということである。人間は目的―手段の系列のなかに自然的因果の必然性の一部をとりこんで実用化しており、これが技術による自然の支配ということであるが、そこにとりこめない必然性が、自然的（物理的）必然性の大部分を占めているのである。

こういうことを考え合わせると、技術が害を及ぼすから、そのもとにある、科学の客観性の承認をも廃しようとするのは、部分的には理由のあることながら、原理的には誤った判断であるといわねばならない。もちろん、公害に対する方策としては、まず当面の被害者を一刻も早く救済することが大切である。今まではこの面での措置が怠慢であり、遅きに失することが多すぎた、との印象を否めない。しかし、同時に、公害そのものをなくすためには、さらに長期の展望に立った、新たな技術の開発を要することもまた明らかである。これを見て見ぬふりをして、ふたたびアリストテレスふうの自然学や、ルネサンス期の有機的自然観に立ち戻ろうとすることが、たとえば最近のエコロジストの議論において提唱されているように思われるが、もちろん百年の計にはならない。すでに見たように近世の機械的（力学的）自然学の成立は、自然の全体を広く深くとらえようとする、高度の客観性の要求からの帰結であって、それを有機的・目的論的自然観によって全面的に置き換えようとすることは、一種の敗北主義に堕することだといわねばならぬであろう。もっとも、デカルトみずからも、人間身体における反射運動に注目し、これについての目的論的考察をも試みている。しかし、こういう考察を自然の全体に及ぼすなどということは、デカルトにとって思いもよらぬことであった。

またデカルトの哲学のようにすべてを主観・客観の図式で考えると、他我の存在を容れる余地がなくなる、という批判がよくなされる。しかし、デカルトがエリザベトへの手紙のなかで、心身の合一は「日常的生と交わり」によって知られるというとき、彼は人間的生が他人との交わり、談話を含んでいることを認めていた、といってよい。これは『方法序説』第五部の終りのほうで、人間と動物とを区別する特徴のひとつとして、言語の使用ということを挙げたときにも、すでにふれられていたことである。

▼開かれた心

もはや蛇足になると思うが、哲学の課題は、科学の示す客観的世界認識を曇らぬ眼で受け入れたうえで、みずからの最善の生き方を選びとることにあり、現在においても、その点に変わりはないのである。したがって、われわれにとってもっとも大切な心がまえはなにかといえば、それはなによりも、開かれた心である。開かれた心というのは、物事をぼんやり受け入れる態度ではない。いつでも古い自己をぬぎすてて新たな努力に向かいうる緊張である。まさしくこういう姿勢こそ、われわれがデカルトから学びとるべき、最大の教訓にほかならないと思われる。

デカルト年譜

一五九六　ルネ・デカルト、三月三一日、トゥーレーヌ州ラ・エーの町（今ではラ・エー・デカルトと呼ばれる）で生まれる。父ジョアシャンはブルターニュ高等法院法官でポアトゥ州シャテルローの医者の息子。母ジャンヌ（旧姓ブロシャール）は同じくポアトゥ州出身で高官の娘。

一五九七（一歳）　母男子出産三日後に死ぬ。生まれた男の子も間もなく死ぬ。ルネは三男で兄ピエールと姉ジャンヌがいる。ルネは乳母と母方の祖母ジャンヌ・ブロシャールの手で育てられる。

一六〇〇（四歳）　この頃父はアンヌ・モランと再婚、一男ジョアシャンと一女アンヌをうる。▼ジョルダーノ・ブルーノ、二月、ローマで火刑に処せらる。

一六〇四（八歳）　アンリ四世の勅許でジェズイット教団（イエス会）のラフレーシ学院設立さる。

一六〇六〜一四（一〇〜一八歳）　ラフレーシ学院修学時代。ただし上述の時期にかんしては異説があり確定的ではない。伝記者バイエの記述では入学は学院開校の年一六〇四年、卒業は一六一二年。この年から入学の年を一年から三年遅らせる諸説がある。したがって卒業も一三年、一四年、一五年と説が分かれる。▼一六〇九年ケプラー『新天文学』。一六一二年ヤコブ・ベーメ『曙光』。

一六一六（二〇歳）　ポアチエ大学で法学の学位（バカロレア）を得る。

一六一八（二二歳）　志願士官としてオランダのナッサウ公マウリッツの軍隊に入るためオランダのブレダにおもむく。一一月一日、同地の学者イサク・ベークマンと偶然の機会で知り合う。一二月三一日、処女作『音楽論小論』をベークマンに贈る。

一六一九（二三歳） 四月二九日、デンマークを経由してドイツにおもむくため出発。フランクフルトで新ドイツ皇帝フェルディナント二世の戴冠式を見物し、さらに後旧教徒軍バヴァリア公マクシミリアンの隊に加わらんがためである。戴冠式見物後ドナウ河畔の村にとどまって越冬。一一月一〇日から一一日にかけての夜神秘的夢をみて「驚くべき学問の基礎」を発見。その次第を記した断片『オリンピカ』はバイエの伝記に収録。

一六二〇（二四歳） 早春ふたたび旅に出たらしい。軍籍を脱す。▼フランシス・ベーコン『新機関』。

一六二二〜二三（二六〜七歳） 数度の旅の後、フランスに滞在。 ▼トマソ・カンパネルラ『太陽の国』。

一六二三（九月）〜二五（五月）（二七〜九歳） イタリア旅行。この機会に四年前神秘的夢を見た折に立てた誓を果たすためロレットの聖母詣をしたものと思われる。

一六二五〜二七（二九〜三一歳） パリに居住。文筆家バルザック、学者メルセンヌ、ミドルジュ、オラトワール修道会の神学者ジビューフ、枢機卿ベリュル等と交わる。

一六二七〜二八（三一〜二歳） 『精神指導の規則』執筆。未完成に終わる。

一六二八（三二歳） 一〇月八日ベークマンにドルトレヒトで再会。ついでオランダ、クリースランド州フラネーケルに居を定む。

一六二九（三三歳） 秋、アムステルダムに移る。

一六三二（六月）〜三三（末）（三六〜七歳） デヴェンテルに滞在して『世界論』（『人間論』も含む）を執筆。三三年、一一月ガリレイ有罪の判決を知り、『世界論』出版を延期、間もなく出版を中止。▼ジョン・ロック（〜一七〇四）生まる。ベネディクト・スピノザ（〜一六七七）生まる。ガリレイ『天文学対話』。

一六三三（一二月）〜三五（春）（三七〜九歳） アムステルダムに居住。同地でヘレーナ（正式に結婚した妻ではない）懐妊。三五年、七月デヴェンテルで娘フランシーヌ生まれる。

一六三六（四〇歳） 春以来レイデンに滞在。『方法序説および三試論』出版準備のためである。

一六三七（四一歳） 六月、『方法序説』刊行。デカルトの希望で著者の名は書かれていない。

一六三七（夏）～四〇（四月）（四一～四歳） アルクマール近郊のサントポルトに居住。同地に娘フランシーヌとその母ヘレーナをよびよせともに暮らす。 ▼三八年、ニコラス・マールブランシュ（～一七一五）生まる。ガリレイ『力学対話』。

一六三九（一一月）～四〇（三月）（四三～四歳） この間『省察』を執筆。

一六四〇（四四歳） レイデン滞在。九月、娘フランシーヌ死す。一〇月、父ジョアシャン死す。同年中姉ジャンヌもまた死す。一一月八日、『省察』の原稿パリのメルセンヌのもとに送らる。

一六四一（四五歳） 四月、『省察』パリで刊行。学者、神学者の『反論』とそれに対するデカルトの『答弁』が『第一反論・答弁』から『第六』まで附せられている。

一六四二（四六歳） 五月、『省察』第二版をアムステルダムで刊行。新たに『第七反論・答弁』とディネ神父あて書簡とが附せられている。

一六四二～四五（四六～九歳） 四二年三月、ユトレヒト大学はデカルト哲学の講義を禁ずる。当時若い医学者ル・ロワ（レギウス）がデカルトの自然学を大学で講義していた。大学学長ヴォエティウスがデカルト攻撃の首唱者であった。四三年五月、デカルトは『ヴォエティウスに与える公開状』を書く。同月、ユトレヒト市会は欠席裁判でデカルト有罪を判決。デカルト、オレンジ公を動かして、判決の執行を阻止。四五年、市会はデカルト哲学についての一切の論議、出版を禁止。 ▼四二年、アイザック・ニュートン（～一七二七）生まる。ホッブス『国家論』（体系第三部）。

一六四四（四八歳） 約一六年ぶりにフランスに帰国。パリに着き、さらにブルターニュ地方に旅行。七月、『哲学の原理』アムステルダムで刊行。エリザベト王女への献辞が附せられている。王女との文通は、四三年五月から始まっている。エグモントに居を定め、五年間その地に住む。

一六四七（五一歳） フランス公使シャニュを介してスウェーデン女王クリスチナとの文通始まる。六月、二度目のフランス帰国。九月、フランス王室から年金二千リーヴルを受ける資格が与えられる。九月二三日〜二四日、二日続けてパスカルを訪問、真空について対話。 ▼四六年ライプニッツ（〜一七一六）生まる。

一六四八（五二歳） 五月、三度目のフランス帰国。八月二七日、パリにフロンドの内乱が起こりバリケードがきずかれる。パリをただちに立ってオランダに戻る。七月、メルセンヌ死す。

一六四九（五三歳） 二月二七日、クリスチナ女王スウェーデンにデカルトを招く。九月一日、出発。一〇月、ストックホルム着。出発に先だち友人ブロメルトがデカルトの肖像を画かせる（フランス・ハルスに画かせたのか？）。一一月末、『情念論』パリで刊行。未完の対話篇『真理の探究』はこの頃書かれたか。

一六五〇 二月二日、肺炎にかかって床に就き、九日後の一一日に死す。享年五三歳一〇ヵ月一一日。ストックホルムに埋葬。一六六七年、パリのサント・ジュヌヴィエーヴ・デュ・モン寺院に改葬。墓は現在サン・ジェルマン・デ・プレ寺院にある。


（本年譜は『方法序説』原文テキストに附せられたロディス・レヴィス教授の年譜を基とし編者が取捨を加えた）

◆文献案内

A 翻訳

1 選集

『デカルト・パスカル』(世界文学大系13) 筑摩書房、一九五八

『デカルト』(世界の大思想7) 河出書房新社、一九六五

『デカルト』(世界の名著22) 中央公論社、一九六七

『デカルト著作集』四巻、白水社、一九七三

『デカルト』(世界の思想家7) 平凡社、一九七七

2 『方法序説』の邦訳(上掲選集所収のものをも挙げる)

落合太郎訳、岩波文庫、一九五三

小場瀬卓三訳、角川文庫、一九六三

野田又夫訳、筑摩書房、一九五八、中央公論社、一九六七

三宅徳嘉・小池健男訳、白水社、一九七三

B 参考文献

朝永三十郎『デカルト』岩波書店、一九二五

野田又夫『デカルト』弘文堂、一九三七

桂寿一『デカルト哲学研究』近藤書店、一九四四

近藤洋逸『デカルトの自然像』岩波書店、一九五九

野田又夫『デカルト』岩波新書、一九六六

所雄章『デカルトⅠ・Ⅱ』勁草書房、一九六七、一九七一

シュペヒト『デカルト』中島盛夫訳、理想社、一九六九

野田又夫『デカルトとその時代』筑摩書房、一九七一

ルフェーヴル『デカルト』服部英次郎・青木靖三訳、岩波書店、一九五三

ド・サスィ『デカルト』三宅徳嘉・小松元訳、人文書院、一九六一

アラン『デカルト』桑原武夫・野田又夫訳、みすず書房、一九七一

有斐閣新書　　デカルト方法序説入門

1979年1月10日　初版第1刷印刷
1979年1月15日　初版第1刷発行 ©

編　者　井上庄七
　　　　森田良紀

発行者　江草忠允

発行所　株式会社 有斐閣
〒101 東京都千代田区神田神保町2-17
電話（03）264-1311　振替 東京6-370
京都支店〔606〕左京区田中門前町44

落丁本・乱丁本はお取替えいたします　共立社印刷・明泉堂製本

★定価はカバーに表示してあります

《有斐閣新書》の刊行に際して

今日ほど教育の問題が関心を集めた時代がかってあったでしょうか。戦後の教育改革からすでに三十年、昨今の高校・大学進学率ひとつをとってみても、そのはげしい変化には驚くべきものがあります。これらの変化は高度経済成長がもたらした「消費革命」とはまったく質を異にする新しい時代の到来を感じさせます。それは一種の「意識革命」というべきものかも知れません。このような時代のなかで、きわめて多数の人びとが、主体的にあるいは創造的に「学び」かつ「知る」という欲求を強くもちはじめています。大学をはじめとするさまざまな学校、市民生活の場としての地域や職場で多種多様な講座がもたれるようになりました。現代が「開かれた大学の時代」とか「生涯教育の時代」とよばれるゆえんであります。

小社は、これまで《有斐閣双書》《有斐閣選書》をはじめとする出版活動をとおして、社会科学・人文科学の諸分野にわたる専門知識を広く社会に提供する努力をつづけてまいりましたが、このたび「専門知識を万人に」の願いをこめて、新しい時代にふさわしい出版企画《有斐閣新書》を、創業百周年記念出版のひとつとして発足させることにいたしました。

《有斐閣新書》は、現代人の多様な知的欲求に応えようとするものであり、小社が永年培ってきた学術出版の伝統を生かした新しいタイプの基本図書であります。この点で、本新書は、これまでの一般教養向きの新書とはまったく性格の異なる出版企画であり、現代における学術知識の普及への新しい使命をになうものと言えましょう。

《有斐閣新書》は、新書判というハンディな判型の中で最新の学問成果を平明に解説し、必要にして十分な内容を収めるとともに、古典の再発見に努めるなど、現代に生きるすべての人びとにとって、学問の扉をひらく際のよきガイドブックとなることを意図しております。読者のみなさまの一層のご支援をお願いしてやみません。

（昭和五十一年十一月）

デカルト方法序説入門（オンデマンド版）

2003年11月5日　発行

編　者　井上　庄七
　　　　森田　良紀
発行者　江草　忠敬
発行所　株式会社 有斐閣
〒101-0051　東京都千代田区神田神保町 2-17
TEL 03(3264)1315（編集）　03(3265)6811（営業）
URL http://www.yuhikaku.co.jp/

印刷・製本　株式会社　デジタルパブリッシングサービス
URL http://www.d-pub.co.jp/

AB453

ISBN4-641-90361-1